ERGRIFFENES DASEIN

ERGRIFFENES DASEIN

DEUTSCHE LYRIK

1900—1950

AUSGEWÄHLT VON
HANS EGON HOLTHUSEN
FRIEDHELM KEMP

EBENHAUSEN BEI MÜNCHEN
WILHELM LANGEWIESCHE-BRANDT

I

Lebenslied

Den Erben laß verschwenden
An Adler, Lamm und Pfau
Das Salböl aus den Händen
Der toten alten Frau!
Die Toten, die entgleiten,
Die Wipfel in dem Weiten —
Ihm sind sie wie das Schreiten
Der Tänzerinnen wert!

Er geht wie den kein Walten
Vom Rücken her bedroht.
Er lächelt, wenn die Falten
Des Lebens flüstern: Tod!
Ihm bietet jede Stelle
Geheimnisvoll die Schwelle;
Es gibt sich jeder Welle
Der Heimatlose hin.

Der Schwarm von wilden Bienen
Nimmt seine Seele mit;
Das Singen von Delphinen
Beflügelt seinen Schritt:
Ihn tragen alle Erden
Mit mächtigen Gebärden.
Der Flüsse Dunkelwerden
Begrenzt den Hirtentag!

Das Salböl aus den Händen
Der toten alten Frau
Laß lächelnd ihn verschwenden
An Adler, Lamm und Pfau:
Er lächelt der Gefährten. —
Die schwebend unbeschwerten
Abgründe und die Gärten
Des Lebens tragen ihn.

Ein Traum von großer Magie

Viel königlicher als ein Perlenband
Und kühn wie junges Meer im Morgenduft,
So war ein großer Traum — wie ich ihn fand.

Durch offene Glastüren ging die Luft.
Ich schlief im Pavillon zu ebner Erde,
Und durch vier offne Türen ging die Luft —

Und früher liefen schon geschirrte Pferde
Hindurch und Hunde eine ganze Schar
An meinem Bett vorbei. Doch die Gebärde

Des Magiers — des Ersten, Großen — war
Auf einmal zwischen mir und einer Wand:
Sein stolzes Nicken, königliches Haar.

Und hinter ihm nicht Mauer: es entstand
Ein weiter Prunk von Abgrund, dunklem Meer
Und grünen Matten hinter seiner Hand.

Er bückte sich und zog das Tiefe her.
Er bückte sich, und seine Finger gingen
Im Boden so, als ob es Wasser wär.

Vom dünnen Quellenwasser aber fingen
Sich riesige Opale in den Händen
Und fielen tönend wieder ab in Ringen.

Dann warf er sich mit leichtem Schwung der Lenden —
Wie nur aus Stolz — der nächsten Klippe zu;
An ihm sah ich die Macht der Schwere enden.

In seinen Augen aber war die Ruh
Von schlafend- doch lebendgen Edelsteinen.
Er setzte sich und sprach ein solches Du

Zu Tagen, die uns ganz vergangen scheinen,
Daß sie herkamen trauervoll und groß:
Das freute ihn zu lachen und zu weinen.

Er fühlte traumhaft aller Menschen Los,
So wie er seine eignen Glieder fühlte.
Ihm war nichts nah und fern, nichts klein und groß.

Und wie tief unten sich die Erde kühlte,
Das Dunkel aus den Tiefen aufwärts drang,
Die Nacht das Laue aus den Wipfeln wühlte,

Genoß er allen Lebens großen Gang
So sehr — daß er in großer Trunkenheit
So wie ein Löwe über Klippen sprang.

. . . .

Cherub und hoher Herr ist unser Geist —
Wohnt nicht in uns, und in die obern Sterne
Setzt er den Stuhl und läßt uns viel verwaist:

Doch Er ist Feuer uns im tiefsten Kerne
— So ahnte mir, da ich den Traum da fand —
Und redet mit den Feuern jener Ferne

Und lebt in mir wie ich in meiner Hand.

Erlebnis

Mit silbergrauem Dufte war das Tal
Der Dämmerung erfüllt, wie wenn der Mond
Durch Wolken sickert. Doch es war nicht Nacht.
Mit silbergrauem Duft des dunklen Tales
Verschwammen meine dämmernden Gedanken,
Und still versank ich in dem webenden,
Durchsichtgen Meere und verließ das Leben.
Wie wunderbare Blumen waren da
Mit Kelchen dunkelglühend! Pflanzendickicht,
Durch das ein gelbrot Licht wie von Topasen
In warmen Strömen drang und glomm. Das Ganze
War angefüllt mit einem tiefen Schwellen

Schwermütiger Musik. Und dieses wußt ich,
Obgleich ichs nicht begreife, doch ich wußt es:
Das ist der Tod. Der ist Musik geworden,
Gewaltig sehnend, süß und dunkelglühend,
Verwandt der tiefsten Schwermut.

Aber seltsam!

Ein namenloses Heimweh weinte lautlos
In meiner Seele nach dem Leben, weinte,
Wie einer weint, wenn er auf großem Seeschiff
Mit gelben Riesensegeln gegen Abend
Auf dunkelblauem Wasser an der Stadt,
Der Vaterstadt, vorüberfährt. Da sieht er
Die Gassen, hört die Brunnen rauschen, riecht
Den Duft der Fliederbüsche, sieht sich selber,
Ein Kind, am Ufer stehn, mit Kindesaugen,
Die ängstlich sind und weinen wollen, sieht,
Durchs offne Fenster Licht in seinem Zimmer —
Das große Seeschiff aber trägt ihn weiter
Auf dunkelblauem Wasser lautlos gleitend
Mit gelben, fremdgeformten Riesensegeln.

Vor Tag

Nun liegt und zuckt am fahlen Himmelsrand
In sich zusammgesunken das Gewitter.
Nun denkt der Kranke: „Tag! jetzt werd ich schlafen!"
Und drückt die heißen Lider zu. Nun streckt
Die junge Kuh im Stall die starken Nüstern
Nach kühlem Frühduft. Nun im stummen Wald
Hebt der Landstreicher ungewaschen sich
Aus weichem Bett vorjährigen Laubes auf
Und wirft mit frecher Hand den nächsten Stein
Nach einer Taube, die schlaftrunken fliegt,
Und graust sich selber, wie der Stein so dumpf

Und schwer zur Erde fällt. Nun rennt das Wasser,
Als wollte es der Nacht, der fortgeschlichnen, nach
Ins Dunkel stürzen, unteilnehmend, wild
Und kalten Hauches hin, indessen droben
Der Heiland und die Mutter leise, leise
Sich unterreden auf dem Brücklein: leise,
Und doch ist ihre kleine Rede ewig
Und unzerstörbar wie die Sterne droben.
Er trägt sein Kreuz und sagt nur: ,,Meine Mutter!"
Und sieht sie an, und: ,,Ach, mein lieber Sohn!"
Sagt sie. — Nun hat der Himmel mit der Erde
Ein stumm beklemmend Zwiegespräch. Dann geht
Ein Schauer durch den schweren, alten Leib:
Sie rüstet sich, den neuen Tag zu leben.
Nun steigt das geisterhafte Frühlicht. Nun
Schleicht einer ohne Schuh von einem Frauenbett,
Läuft wie ein Schatten, klettert wie ein Dieb
Durchs Fenster in sein eigenes Zimmer, sieht
Sich im Wandspiegel und hat plötzlich Angst
Vor diesem blassen, übernächtigen Fremden,
Als hätte dieser selbe heute nacht
Den guten Knaben, der er war, ermordet
Und käme jetzt, die Hände sich zu waschen
Im Krüglein seines Opfers wie zum Hohn,
Und darum sei der Himmel so beklommen
Und alles in der Luft so sonderbar.
Nun geht die Stalltür. Und nun ist auch Tag.

Der Schiffskoch, ein Gefangener, singt:

Weh, geschieden von den Meinigen,
Lieg ich hier seit vielen Wochen;
Ach und denen, die mich peinigen,
Muß ich Mahl- um Mahlzeit kochen.

Schöne purpurflossige Fische,
Die sie mir lebendig brachten,
Schauen aus gebrochenen Augen,
Sanfte Tiere muß ich schlachten.

Stille Tiere muß ich schlachten,
Schöne Früchte muß ich schälen
Und für sie, die mich verachten,
Feurige Gewürze wählen.

Und wie ich gebeugt beim Licht in
Süß- und scharfen Düften wühle,
Steigen auf ins Herz der Freiheit
Ungeheuere Gefühle!

Weh, geschieden von den Meinigen,
Lieg ich hier seit wieviel Wochen!
Ach und denen, die mich peinigen,
Muß ich Mahl- um Mahlzeit kochen!

Die Beiden

Sie trug den Becher in der Hand
— Ihr Kinn und Mund glich seinem Rand —,
So leicht und sicher war ihr Gang,
Kein Tropfen aus dem Becher sprang.

So leicht und fest war seine Hand:
Er ritt auf einem jungen Pferde,
Und mit nachlässiger Gebärde
Erzwang er, daß es zitternd stand.

Jedoch, wenn er aus ihrer Hand
Den leichten Becher nehmen sollte,
So war es beiden allzu schwer:
Denn beide bebten sie so sehr,
Daß keine Hand die andre fand
Und dunkler Wein am Boden rollte.

Im Grünen zu singen

Hörtest du denn nicht hinein,
Daß Musik das Haus umschlich?
Nacht war schwer und ohne Schein,
Doch der sanft auf hartem Stein
Lag und spielte, das war ich.

Was ich konnte, sprach ich aus:
,,Liebste du, mein Alles du!"
Östlich brach ein Licht heraus,
Schwerer Tag trieb mich nach Haus,
Und mein Mund ist wieder zu.

Reiselied

Wasser stürzt, uns zu verschlingen,
Rollt der Fels, uns zu erschlagen,
Kommen schon auf starken Schwingen
Vögel her, uns fortzutragen.

Aber unten liegt ein Land,
Früchte spiegelnd ohne Ende
In den alterslosen Seen.

Marmorstirn und Brunnenrand
Steigt aus blumigem Gelände,
Und die leichten Winde wehn.

Der Herr der Insel

Die fischer überliefern dass im süden
Auf einer insel reich an zimmt und öl
Und edlen steinen die im sande glitzern
Ein vogel war der wenn am boden fussend
Mit seinem schnabel hoher stämme krone
Zerpflücken konnte, wenn er seine flügel
Gefärbt wie mit dem saft der Tyrer-schnecke
Zu schwerem niedrem flug erhoben: habe
Er einer dunklen wolke gleichgesehn.
Des tages sei er im gehölz verschwunden,
Des abends aber an den strand gekommen,
Im kühlen windeshauch von salz und tang
Die süsse stimme hebend dass delfine
Die freunde des gesanges näher schwammen
Im meer voll goldner federn goldner funken.
So habe er seit urbeginn gelebt,
Gescheiterte nur hätten ihn erblickt.
Denn als zum erstenmal die weissen segel
Der menschen sich mit günstigem geleit
Dem eiland zugedreht sei er zum hügel
Die ganze teure stätte zu beschaun gestiegen,
Verbreitet habe er die großen schwingen
Verscheidend in gedämpften schmerzeslauten.

Flutungen

Erst ging sie voll und litt an zu viel licht.
Der gaben schatz den huldigung ihr bot
Erwog sie kaum und misste oft das glück
Im starren stolz der jugend die nicht spricht.

Sie wuchs sie zog hinaus und sie umwarb
Was nun entrann, sie sah mit heissem wunsch
Den lebenden die sie nicht liebten nach
Den toten all von ihr noch ungeliebt.

Da stand sie einst mit ihrem schmerz, der schien
Ihr leicht und leer, sie blickte prüfend um
Und fröstelte, so sagt dem blinden kind
Die kühle an dass schon der abend kam.

Nun reisst und rinnt von neuem früheres weh
Ihr ist wie sonst dass jede fiber fühlt. .
Dass vieles ging, nur gleich im wechsel blieb
Was sie ergreift was sie noch immer sucht.

Es lacht in dem steigenden jahr dir
Der duft aus dem garten noch leis.
Flicht in dem flatternden haar dir
Eppich und ehrenpreis.

Die wehende saat ist wie gold noch,
Vielleicht nicht so hoch mehr und reich,
Rosen begrüssen dich hold noch,
Ward auch ihr glanz etwas bleich.

Verschweigen wir was uns verwehrt ist,
Geloben wir glücklich zu sein
Wenn auch nicht mehr uns beschert ist
Als noch ein rundgang zu zwein.

Der hügel wo wir wandeln liegt im schatten,
Indes der drüben noch im lichte webt
Der mond auf seinen zarten grünen matten
Nur erst als kleine weisse wolke schwebt.

Die strassen weithin-deutend werden blasser,
Den wandrern bietet ein gelispel halt,
Ist es vom berg ein unsichtbares wasser
Ist es ein vogel der sein schlaflied lallt ?

Der dunkelfalter zwei die sich verfrühten
Verfolgen sich von halm zu halm im scherz . .
Der rain bereitet aus gesträuch und blüten
Den duft des abends für gedämpften schmerz.

Komm in den totgesagten park und schau:
Der schimmer ferner lächelnder gestade,
Der reinen wolken unverhofftes blau
Erhellt die weiher und die bunten pfade.

Dort nimm das tiefe gelb, das weiche grau
Von birken und von buchs, der wind ist lau,
Die späten rosen welkten noch nicht ganz,
Erlese küsse sie und flicht den kranz,

Vergiss auch diese letzten astern nicht,
Den purpur um die ranken wilder reben
Und auch was übrig blieb von grünem leben
Verwinde leicht im herbstlichen gesicht.

Wir schreiten auf und ab im reichen flitter
Des buchenganges beinah bis zum tore
Und sehen aussen in dem feld vom gitter
Den mandelbaum zum zweitenmal im flore.

Wir suchen nach den schattenfreien bänken
Dort wo uns niemals fremde stimmen scheuchten,
In träumen unsre arme sich verschränken,
Wir laben uns am langen milden leuchten

Wir fühlen dankbar wie zu leisem brausen
Von wipfeln strahlenspuren auf uns tropfen
Und blicken nur und horchen wenn in pausen
Die reifen früchte an den boden klopfen.

Die steine die in meiner strasse staken
Verschwanden alle in dem weichen schooss
Der in der ferne bis zum himmel schwillt,
Die flocken weben noch am bleichen laken

Und treibt an meine wimper sie ein stoss
So zittert sie wie wenn die träne quillt. .
Zu sternen schau ich führerlos hinan,
Sie lassen mich mit grauser nacht allein.

Ich möchte langsam auf dem weissen plan
Mir selber unbewußt gebettet sein.
Doch wenn die wirbel mich zum abgrund trügen,
Ihr todeswinde mich gelinde träft:

Ich suchte noch einmal nach tor und dach.
Wie leicht dass hinter jenen höhenzügen
Verborgen eine junge Hoffnung schläft!
Beim ersten lauen hauche wird sie wach.

Fenster wo ich einst mit dir
Abends in die landschaft sah
Sind nun hell mit fremdem licht.

Pfad noch läuft vom tor wo du
Standest ohne umzuschaun
Dann ins tal hinunterbogst.

Bei der kehr warf nochmals auf
Mond dein bleiches angesicht . .
Doch es war zu spät zum ruf.

Dunkel — schweigen — starre luft
Sinkt wie damals um das haus.
Alle freude nahmst du mit.

Juli-Schwermut

Blumen des sommers duftet ihr noch so reich:
Ackerwinde im herben saatgeruch
Du ziehst mich nach am dorrenden geländer
Mir ward der stolzen gärten sesam fremd.

Aus dem vergessen lockst du träume: das kind
Auf keuscher scholle rastend des ährengefilds
In ernte-gluten neben nackten schnittern
Bei blanker sichel und versiegtem krug.

Schläfrig schaukelten wespen im mittagslied
Und ihm träufelten auf die gerötete stirn
Durch schwachen schutz der halme-schatten
Des mohnes blätter: breite tropfen blut.

Nichts was mir je war raubt die vergänglichkeit.
Schmachtend wie damals lieg ich in schmachtender flur
Aus mattem munde murmelt es: wie bin ich
Der blumen müd, der schönen blumen müd!

Landschaft

Des jahres wilde glorie durchläuft
Der trübe sinn der mittags sich verlor
In einem walde wo aus spätem flor
Von safran rost und purpur leiden träuft.

Und blatt um blatt in breiten flecken fällt
Auf schwarze glätte eines trägen bronns
Wo schon des dunkels grausamer gespons
Ein knabe kühlen auges wache hält . .

Und durch die einsamkeiten stumm und taub
Senkt langsam flammend sich von ast zu ast
Ins schwere gelb des abends goldner glast —
Dann legt sich finstrer dunst in finstres laub.

Nachtschatten ranken, flaumiges gebräm,
Um einen wall von nacktem blutigen dorn,
Gerizte hände dringen matt nach vorn . .
Daß in das dickicht nun der schlummer käm! . .

Da bricht durch wirres grau ein blinken scheu
Und neue helle kommt aus dämmerung.
Ein anger dehnt auf einem felsensprung
Weithin . . nur zieht durch der violen streu

Die reihe schlanker stämme, speer an speer,
Von silber flimmert das gewölbte blau,
Ein feuchter wind erhebt sich duftend lau . . .
Es fallen blüten auf ein offen meer.

Gesang im Dunkeln

Diese Nacht in schattenhaften Wäldern
Lief ich hinter einer dunklen Rehe,
Da sie meinen Atem hörte, floh sie,
Blickte wild aus ihren schiefen Augen.

Wo sind Rosen, die ich brechen wollte?
Diese Hände sind so leer wie gestern,
Meine Sohlen sind bestaubt und blutend,
Meine Haare hangen voller Dornen.

Diese Nacht bei deinem Rosengarten
Riß, wie riß ich an den Eisengittern!
Fliederblätter faßt ich mit den Lippen!
Kalte Büsche stachen meine Wange.

Diese Nacht war wie die andern alle,
Heute Nacht wird sein wie alle Nächte,
Ich vergehe unter deinem Atem,
Ich zerreiße unter deinen Händen.

Zwischen Bäumen, Berg hinan die Felsen
Tanz ich hin wie eine Fackel brennend,
Sang ein Vogel fern, ich kann nicht hören,
Weint es hinter mir, ich weiß es nimmer.

Meine Ohren sind bedrängt von Schluchzen,
Nichts wie Tränen braust mirs vor den Augen,
Ich vergehe unter deinem Atem,
Ich zerreiße, wiß es, ich zerreiße!

Lust und Schauder

Dunkel war es aufgewacht
    Aus dem ungewissen Grunde,
Worte sprachs die ganze Nacht
    Wundersam mit deinem Munde:

Regt ich mich, bewegt ich mich,
  Stützte mich in meinem Bette,
Atmete es wunderlich
  Und es hatte keine Stätte —

Schatte flog es her und hin,
  Bog sich zart und tief versunken.
Um den Mund und um das Kinn
  Lag ein Lächeln schwer und trunken?

Einsamkeit und Einsamkeit
  Fühlte sich, wie nie sichs fühlte,
Nachtgewand und Schattenkleid,
  Das sich rührte, das sich kühlte —

Mund, der einen Mund verstand,
  Trank den Schauder und die Küsse,
Eine Hand, o deine Hand
  Fühlte, wie sie dulden müsse —

Dunkel war es aufgewacht.
  Sprich, o sprich, aus welchem Grunde!
Nacht und Tag und wieder Nacht
  Weiß ich nur von deinem Munde.

Abschied

Wir haben nicht wie Knecht und Magd am Zaun
Gelegenheit; und nicht wie Brautgesellen
Den Trost, ein heimlich Scheiden zu bestellen:
Wo aller Augen wartend auf uns schaun,
Soll dieses Schwert durch unsre Seele haun:
Kein Baum, den zwanzig an der Wurzel fällen,
Stirbt allgemein besudelter im Grellen:
Nur noch verachten gilt, und sich vertraun,

Und, wie Ermordete im alten Stück
Noch schwatzen, vorwärts du und ich zurück,
Im Griff das schwarze Eingeweide tragend,
Fortsteigen, gleichen Fußes und Gesichts;
Und erst, wo keins mehr zusieht, in das Nichts
Quer treten, ohne Laut vornüberschlagend.

Magnolie des Herbstes

Ich fand mein Herz am hohen Morgen starr
Von einem Tone, den es nicht ertrug,
Ausblicken Straßen abwärts gegen Staub.
Mit Augen quellend von verfangenem Blut
Suchte mein Herz, und fand da keinen Baum,
Noch irgend Trost, nur Stein und eine Stadt.

Ich ward es inn und sagte: ,,Dieser Stadt
Glaubst du zu blindlings: Aber sie ist starr,
Wie Luftspuk über Wüsten; keinen Baum
Ernährt der gottlos aufgetürmte Trug:
Sieh, wie gespenstisch ohne Wucht und Blut
Sich das gebärdet, Schemen über Staub.

Oktober heult, und schleppt den kalten Staub
Rückwärts und vorwärts durch die wüste Stadt.
Heb ihm Verewigung aus deinem Blut
Entgegen und die Greuel werden starr:
Bist du zu Haus, wohin dein Fuß dich trug?
Geh in dich, und du blickst in deinen Baum —‘‘

Mein Herz ging in sich bis vor jenen Baum,
In dessen Haus kein Fuß gemeinern Staub
Als goldnen seiner tausend Becher trug,
Und stand vernichtet: an der Blüte statt,
Wie wir sie kannten, weste schwach und starr
Und starb, einsam, an Fraß und schlechtem Blut,

Halb Knopf halb Kelch, was als die zweite Bluht
Todkrank aufbrach im stummgewordnen Baum —
Der war nicht heiliger Starrheit, sondern starr
Wie ein Verpesteter im Straßenstaub,
Der, nachts entflohn aus der verheerten Stadt,
Bis hier den Tod und seine Beule trug.

Mein Herz ward in mir fest und sagte: „Trug?
Auch dies? O, wohl. Es ist in meinem Blut,
Was ewig glauben muß an diese Stadt.
Es ist so elend, flüchten. Sieh den Baum.
Besser, micht packt Oktober wie den Staub.
Es ist so elend, lügen. Besser starr."

Ich pflanzte einen Baum, der mir nicht trug.
Der Stock ist starr. Ich baute eine Stadt.
Sie fiel. Der Staub ist durch und durch voll Blut.

Ode mit dem Granatapfel

An Schröder

Diese Frucht der Persephoneia, Gastfreund,
Schont ich dir und mir in Gedanken herbstlang —
Dir und mir vor Nacht, da das erstemal O-
               rion in Osten

Groß mit Hunden hinter dem Jahr heraufkommt,
Brach ich heut die zeitige Last: nicht klagend,
Wohl nicht klagend; aber der alten Toten-
               klage gedenkend.

Wenn das Fest ist, dies, da man ihrer andenkt,
Ihnen nichts als alternde Blumen, nichts als
Bettlerlicht auf Knien ins unbekränzte
               Dunkel hinabreicht,

23

Dann nicht ohn ein reiferes Zeichen sollst du,
Ohn ein Opfer, das dir gemäßer sei, nicht
Stehn und suchen: Nimm den geheimnisvollen
                Apfel des Hades.

Denn die Schale, wo sie schon aufbricht, wer sie
Längshin durchreißt, Nester der Purpurkerne
Schöpfend schenkt, wie sollt es ihn reun, ob berstend
                einer zerblute,

Da nach Keim sie unten verhungern, dein Blut
Nicht bis hin langt? Sühne das Nichts und Fast-Nichts
Gleichnishaft und scheide: Du hast nur Bilder,
                Mensch, deiner Gottheit!

Alle, die wir wurden und da sind, wohnen
An der Grenze. Jede Sekunde stößt an
Reifes Jenseits, draus keine Hand mehr Händen
                Wirkliches abnimmt.

Dennoch, Bruder, nimm du sie dennoch, Ernte
Gib sie dennoch, die ich der Herbstglut preisgab,
Weiter — halb gab: Denn in der Baumnacht, taulos,
                haftete jahrlang

Stets licht-abseits stille die kalte Halbfrucht,
Grün und fremd, dem emsigen Vielfuß kundig,
Spinngeweben heimlich, und trank von Glut noch
                Regen bis heut nicht.

Besser so. Es muß für die Reinsten etwas
Keusch, ein Ei sein, das in der eignen Hut wächst,
Kühl, ein Herz, das, vielen genehm, dem Einen
                einsamer anhangt.

Uns auch bräunt am Leben die Wange, Gastfreund,
Unsres Herbsttags, Kern über Kern entfaltend,
Lautlos wachsend, warten auch wir nach ganz ver-
                nichteter Jugend:

Was untröstlich gegen den Stamm blickt, standhaft
Abgewandt von Sonnen, die Heutges bunter
Sehn als gestern, dies zu entdecken wehrt mir,
                              außer der Andacht,

Auch dies Zwielicht, da mir mit Tau ins Nachtbeet
Weit im Bogen fahrende Gäste kehren —
Faltern gleich, doch eben um ein unsagbar
                              Deutliches anders,

Ob sie gleich wie jene bei Tag wer weiß wo,
Nachts wer weiß woher mit dem Seglerlaut des
Flugs angeisternd, vor dem nur heut noch schönen
                              Munde sich stillen.

September-Ode

I

Mir ist noch immer, wie mir vorzeiten war,
Als durch den Garten, unter den hangenden,
    Fruchtüberladnen Apfelbäumen
      Mitten ins Schattengewirr der Vollmond

Aufs Rasenfeld verlorene Zeichen schrieb,
Die sich verschoben, wenn aus dem knorrichten,
    Umfinsterten Genist ein Apfel
      Fiel und die raschelnden Zweige wankten.

Der Nußbaum stand vor breiterer Dämmerung
Und barg in Blätterbuchten die reife Tracht,
    Da schon ins Gras vereinzelt schwarzer,
      Bitterer, beizender Abfall hinlag

Und modrig barst, und aus dem zerschlißnen Balg
Die Kerngehäuse kollerten. — Apfelruch
    Und brauner Würzgeschmack der Walnuß
      Lief mit dem Atem der Spätjahrsrose

Durch schalen Heuduft sterbender Sommerzeit
Und schräger Mond, der drüben im schlummernden,
    Im Strom den schmalen Spiegelstreifen
      Zog, den die Schleier des Schilfrohrs säumten.

September war's und heitere Nacht und warm,
Warm wie die Nacht hier droben und hell, wie hier
    Der volle Mond durch Apfelbäume
      Blickt und am Grunde die Schatten sprenkelt.

II

Mond und September, Schatten im Gras und Nacht.
Und heut? Und morgen? Wähnst du noch allzeit, Herz,
 Als wär dein erstes und dein letztes
  Wieder das gleiche Gesicht? Ein Anfang,

Ein unaufhebbar deiniger? — Andres ward.
Denn hier steht Sommer, Sommer auf steilem Land.
 Blick hin: ob nicht im Silberzwielicht
  Silbern durch spärliches Laub der Firn glänzt.

Und doch! Und aber! Sternengewölk am Berg
Und warme Nacht. Und über dem Wiesenrain
 Das schräge Licht. Und von gemähten
  Gräsern der Rauch; und die Rose duftet.

Wohl. Anders ward's. — Ein Leben wird ausgelebt;
Und jeder Aufblick unter den Wimpern trägt
 Ein neu Gesicht und zeigt dir andre,
  Fremde: und freilich, der Zufall haftet

Nicht, wo er hinfiel. Wandern ist Menschenlos,
Dein Los und aller. Bist du der Junge noch,
 Der einmal stand, dem unter dunkel
  Raunenden Zweigen das Herz geschaudert?

Bist du der Alte? — Frage dich nicht. Blick hin.
Nicht mit den Jahren altert das Herz. Hier gilt
 Und heut, was immer galt: September,
  Mond und ein Schatte von Apfelbäumen.

III

Im hohen Sommer, Freunde, gedenk ich euch.
Ich bin's. Noch immer. Aber ihr andern, sagt,
 Seid ihr's? Und dünkt mich doch, als dürft es
  Nur meinen Finger, um euch zu fassen.

Ihr kamt im Mittag unter die Schatten her
Und kommt bei Nacht; und älteste Worte gehn
    Von Mund zu Mund, und ein Gelächter
        Waltet im Kreis, und Gesang wird rege.

Ihr denn und ich. — Und immer das alte Jahr
Blüht mit dem Frühling, schüttet den Herbst hervor,
    Schleicht mit dem Fluß durch Sommerschwaden,
        Schichtet das Wintergehölz im Herde.

Blickt nicht die Röte morgens herauf, blickt nicht
Zum Abend nieder? Atmet nicht Sterngewölk
    Und glüht der Mittag? Einig Leben,
        Einig und allen vertraut, wie Treue,

Die zwischen Menschen waltet, ein erst Gesicht,
Uns unverfremdbar, die wir die gleichen sind
    Und gleiche waren, Mann dem Manne,
        Knabe dem Knaben; und wird nicht anders.

Drum bleibt mir eines, wie mir das andre blieb,
Herbst und der Sommer, Berg und das Rasenfeld,
    Da mir der Mond im Äpfelschatten
        Ehe sein Zeichen: September hinschrieb.

IV

Mond und Gewölk und Schatten im Gras und Nacht.
Und stehst und kennst dich, daß du der Alte bist
    Und nicht das Kind. Und kennst die Freunde
        Fern und verschollen und weißt, die leben,

Nicht minder einsam, als es die Toten sind;
Einsam wie du. Kränkt jeden der gleiche Raub.
    Ah, wahrlich, rascher denn die Jahrszeit
        Altern und wandeln die Menschenherzen!

Willst's angedenken? Alles Gedenken trügt.
Willst in das Deine kehren? Die Lampe winkt
  Wie sonst vom Fenster; zwar die gleiche
    Nimmer und nimmer das Haus, das eine,

Das dir zu eigen hörte, das Heimathaus,
Dein erst Gesicht. — So sage nur: Mein; du lügst.
  Es ist geliehn, ist wie der Wechsel
    Sonnen und Monden; und auch die Treue

Fährt mit dem Wind, läuft schneller denn Wind. Ein Sand
Verschluckt den Wassertropfen. — Der Mensch gewahrt
  Nur wenig Jahre. Wohl, sein Herz faßt
    Auch von den wenigen kaum ein Wenigs.

Und doch. Hier dies begreift er und hat und hält's,
Ein unabdingbar Eigenes: Ewigkeit
  Gilt hier vor meinem Fuß, den Mondlicht
    Malen und Gartengezweig, der Schatte.

Nachts

Im bangen Zimmer entschlief ich kaum
  Und war kaum wieder erwacht:
Kühl blickte der Stern, kühl hauchte der Baum,
  Kühl wehte der Wind in der Nacht.

Und immer der Bronnen, der rauscht und quillt,
  Als wären, geschehn und vollbracht,
Dein Tag ein Traum und dein Traum ein Bild,
  Ein Bild und ein Wind in der Nacht.

Traum im Traum

Mir ist, als ob mir ein Etwas fehle,
  Und wenn ich's denke, so weiß ich's nicht.
Als spräche der Traum zum Traum: ,,O Seele,
  O Seele süße, süßes Gesicht.''

Denn es ist nicht, daß ich's nicht hätte,
  Nicht, daß mir's über Tag gebricht.
Ist nur im Traum eine leere Stätte,
  Ist nur ein Schatte: dort war Licht.

Nicht, daß mich's ängstige, daß mich's quäle:
  Und doch, ich sinn, und ersinn es nicht,
Daß mir dein Gruß und dein Lächeln fehle,
  Süße Seele, süßes Gesicht!

Schatten

Baum, Wolke, Wasser und Schatten
  Im Wind, der sie floh und fing,
Reden vom Glück, das wir hatten,
  Raunen vom Leid, das verging.

Leid, Wind und Wasser; und ging es?
  Und kam es? Und wann? Und wie?
Und wär's auch nur um Geringes:
  Die Rechnung rundet sich nie.

Reisesegen

Setz leicht den Fuß, begehre kein Verweilen,
  Am Rand der Straße schneide dir den Stab;
Bleib, der du bist, und durch bestaubte Meilen
  Getröste dich der Pilgerschaft ans Grab.

Dir zugeteilt, gemeine Gift mit allen,
  Brot, Früchte, Wasser, sollst du nicht verschmähn.
Den bunten Raub, mit dem sie sich gefallen,
  Laß hinter dir: er hindert dich am Gehn.

Brich nicht das Herz, wo du das Brot gebrochen,
  Das deine nicht und das der andern nicht;
Ein freundlich Wort, zur rechten Zeit gesprochen,
  Ein Händedruck, der nicht zuviel verspricht:

Und dennoch Treue, die sich schickt zu dienen,
  Und Glaube, der nicht fordert und nicht schilt;
So wird die Welt, die Wüste dir geschienen,
  Zu deinem Werk und deinem Bild.

Am Berge tönt des Sommers Horn,
Die Möwe wich zurück aufs Meer;
Und nur im Winde hin und her
  Webt's noch wie Winterzorn.

So lang der Tag, und doch die Nacht,
Die kurze Nacht wie schön, wie schön!
O Sonnen-Auf- und Niedergehn,
  O mondenvolle Pracht!

Wie oft, wie oft hast du's gesehn,
Wie lang, wie lang, und sahest's nicht;
Und darf auf einmal dein Gesicht
  Die schöne Welt verstehn?

Und hat auf einmal dein Gesicht
Sich selber, Aug in Aug, erkannt,
Sich widerspiegelnd unverwandt,
  Und glänzt vor lauter Licht?

Vor lauter Licht erglänzt das Land,
Erglänzt die Flut um unsern Kahn,
Die runde Bucht, die weite Bahn,
  Der rebenvolle Strand.

Schon sank die Stadt ins Einerlei;
Der blaue Berg, der Ufersaum
Vergehn, als flögen wir im Traum
  Dem Leben selbst vorbei.

O glaubt, vorbei ist nicht vorbei,
Die Welt ist unermeßlich groß! —
Mir träumt ein Sommer grenzenlos,
    Mir träumt ein ewiger Mai.

Ein Mai, der steht auf seiner Statt,
Verwandelt sich und bleibt sich treu,
Macht alle alten Jahre neu,
    Macht allen Kummer satt.

Ein Sommer über Meer und Land,
Der dem Begehren Urlaub gibt,
Da Liebe glaubt, da Glauben liebt
    Und Hoffnung hält Bestand.

Vorbei, vorbei der Winterzorn,
Die Möwe wich zurück aufs Meer.
Nun tönt im Winde hin und her
    Am Berg des Sommers Horn.

Aus: „Die Ballade vom Wandersmann"

(1)

Rührt mich nicht an; — ich bin's nicht mehr.
    — Blickt lieber wie von ungefähr
      Ins bunte Vielerlei.
Ich brach das Brot, ich saß zum Herd,
Ich hielt euch alle hold und wert:
      Das, dünkt mich, ist vorbei.

Ein jedes Haus hat Stuhl und Bett,
Hat Tisch und Schrank und Hausgerät,
    Hat Tür und Tor, das Haus.
Man geht durch Kammer, Flur und Saal,
Schläft über Nacht und hält das Mahl;
      Dann heißt es: Geh hinaus.

Der Schwellen hat die Welt genung,
Hat jede ihren Fug und Sprung;
  Die sind mir all bekannt.
So hab ich denn mich aufgemacht
Und wandre lieber Tag und Nacht,
  Als wär's durch fremdes Land.

Was ihr euch habt, was ihr euch könnt,
Ist keinem, weil er's hat, gegönnt:
  Und war ich bei dem Fest,
Ich bin's nicht mehr. — Rührt mich nicht an;
Ich bin der Fremde, bin der Mann,
  Den jeder ziehen läßt.

Rührt mich nicht an, der weitergeht,
Unsteter Mann und dennoch stet,
  Weil er die Straße fährt
Ans Tor, das einläßt jedermann,
Und das doch keiner brechen kann,
  Des Fuß zurückbegehrt.

(2)

Es ist nicht in Nächten der Schlummer;
Es ist nicht die Sonne, die sticht.
  Hat Nacht keinen Schlummer,
  Hat Tag kein Licht,
So ist's ein Ding und ist auch nicht.
— Ein Kummer? Ach, wohl kein Kummer.

Es ist nicht die verödete Kammer,
Nicht der Zank auf den Gassen rundum.
  Zank in der Kammer,
  Die Gassen stumm;
So ist's ein Ding: frag nicht, warum.
— Jammer? Ach, wohl kein Jammer.

Jammer der würde voll Grämen
Und Kummer weinend gehn.
  Jammer ohn Grämen
  Kummer ohn Trän:
So ist's ein Ding: — woll nicht hinsehn —,
Bringt Kummer und Jammer und Schämen.

(3)

Vernehmt die neue Tageweis,
  Die ihr nach Weisen fragt:
Von der Klage, die keine Klage weiß,
  Weil Klage sich selbst verklagt.

Uns hat so mancher Hahnenschrei
  Aus jähem Schlaf erweckt:
Und war doch Mitternacht nicht vorbei;
  Er hat uns nur geneckt.

Und wo vom Buhlen Buhle geht,
  Steht Klage zwischen den zwein;
Die Nacht war lang, die Nacht lief spät,
  Und nun tritt Morgen ein.

Und morgen Nacht wie heute Nacht,
  Und der Kuß kein Abschiedskuß,
Weil Mund zu Mund um Mitternacht
  Sich wiederfinden muß.

Doch anders tönt die Tageweis,
  Wo keiner nach keinem fragt,
Und kein Mund von keiner Klage weiß,
  Weil der Mund sich selbst verklagt.

Laßt schrein den Hahn um Mitternacht:
  Die Nacht geht nicht vorbei.
Und schlimmer Schlaf und böse Wacht
  Ist alles überlei.

Und wo vom Buhlen Buhle geht,
　　Verratener, der verriet:
Die Nacht währt lang, die Nacht läuft spät,
　　Die keinen Morgen sieht.

Und morgen Nacht wie heute Nacht,
　　Und der Kuß kein Abschiedskuß,
Weil der Mund vom Mund um Mitternacht
　　Verraten werden muß.

So singt's die neue Tageweis,
　　Weil ihr nach Weisen fragt,
Singt Klage, die nicht Klage weiß,
　　Weil Klage sich selbst verklagt.

(4)

Und immer und immer ein Duft,
Als wäre noch nichts gelebt,
Noch hier in der Winterluft,
Wo Herbst den Herbst begräbt.

Und immer und immer der Traum,
Als winkte, von keinem erreicht,
Ein Ziel an jeglichem Saum
Der Welt, und der Weg wär leicht.

Und immer in jeglicher Ruh
Der stumme, der strenge Befehl:
Geh weiter, Bewanderter du,
Geh fehl, sonst gingest du fehl.

Geh weiter, bewanderter Gast:
Allein geht keiner allein.
Und je müder, je leichter die Last
Und je klarer das Ja und das Nein.

Morsche Scholle streift am Ufer.
Schnee tropft von den schrägen Klippen;
Schwarze silberknospige Bäume
Stehn im ungebundnen Licht.
Wellen drängen Wellen; eine
Läßt ihr Leuchtendes der andern.
Breitem Stromeslaufe folgen
Langsam große Marmorwolken
Und die Kraniche, die grauen
Flügelwanderer der Luft.

Der alte Brunnen

Lösch aus dein Licht und schlaf! Das immer wache
Geplätscher nur vom alten Brunnen tönt.
Wer aber Gast war unter meinem Dache,
Hat sich stets bald an diesen Ton gewöhnt.

Zwar kann es einmal sein, wenn du schon mitten
Im Traume bist, daß Unruh geht ums Haus,
Der Kies beim Brunnen knirscht von harten Tritten,
Das helle Plätschern setzt auf einmal aus,

Und du erwachst, — dann mußt du nicht erschrecken!
Die Sterne stehn vollzählig überm Land,
Und nur ein Wandrer trat ans Marmorbecken,
Der schöpft vom Brunnen mit der hohlen Hand.

Er geht gleich weiter, und es rauscht wie immer.
O freue dich, du bleibst nicht einsam hier.
Viel Wandrer gehen fern im Sternenschimmer,
Und mancher noch ist auf dem Weg zu dir.

Die Ahnfrau

Wage dich wieder hervor,
Silbernes Mittagsgesicht!
Alle sind außen im Korn.
Alles ist, wie es war.

Noch gurren die Turteln am Dach
Im purpurfüßigen Reihn,
Und Blumen blau wie die Luft
Umwehen im Bogen die Tür.

Sprich zu dem jungen Baum
Beim immer murmelnden Bronn,
Und an dem Fenstergeweb
Der heiligen Spinne vorbei

Husch in dein Sterbegemach!
Denk nicht vermoderter Pein!
Sieh, wo du seufzend vergingst,
Atmet das blühende Kind.

Oh, wie es ruhig schwebt
Im leichten blutrötenden Schlaf!
Es regt seine Händchen, es spürt
Des Wachstums nahen Quell.

Umfließ es mit Geisterglück!
Nun öffnet es Augen voll Traum.
Es blinzelt durch dich in den Tag,
Es lächelt und schläft wieder ein.

Grüße die Natter im Flur!
Noch reicht man den Milchnapf ihr fromm.
Dort schleicht sie gesättigt hinaus,
Sie fühlt und fürchtet dich.

Klug folgt sie verborgener Spur
Hinab in ihr dunkles Gebiet.
Da liegt unter höhligem Stein
Der Schatz, den du vergrubst.

Du sahst in die ferne Zeit.
Du wahrsagtest Krieg und Verfall.
Treu hast du gedarbt und bewahrt,
Die Schlange weiß darum.

Sie hegt auf dem Hort ihre Brut.
Sie biegt sich um ihn jede Nacht
Zum zauberverstärkenden Ring.
Oft klirrt unbändig das Gold.

Fahrt

Wir Kinder gingen, Paar um Paar,
Durch Wald und grünes Reut.
Mit bunten Eierschalen war
Der Saatenrand bestreut.

Am Ufer hing das neue Boot;
Wir saßen flugs darin.
Der Wimpel wehte weiß und rot;
Die Strömung trug uns hin.

Das Land verschob sich von uns fort;
Zu Felsen stieg der Strand.
Geschmückte Menschen gingen dort,
Die winkten mit der Hand.

Und langsam schwanden Turm und Flur,
Nah rückte das Gestein.
Manchmal aus finstrer Höhle fuhr
Ein heimlich starker Schein.

Die Zeit verschwebte wie ein Hauch;
Ein Korb ward ausgeleert
Und nach geweihtem alten Brauch
Das Ostermahl verzehrt.

Wir aßen Brot, wir tranken Wein.
Sturm schlug uns ins Gesicht.
Die Woge griff nach uns herein;
Wir fürchteten uns nicht.

Von weißen Vögeln weit umkreist,
Zur Heimat ging die Fahrt.
Wir glaubten selig an den Geist,
Der uns versprochen ward.

Wer bist du?

Du Wesen, das sich stets in neue Schleier hüllt
und aus sich selber schattenhaft verdunkelt,
dem eignen Dunkel dann wie Licht entquillt
und hüllenlösend auf sich niederfunkelt;

das noch als Wolke Trauer hingebreitet
und schon, vom Graugeweb verborgen dicht,
sich wandelnd als Traum Freude weiterschreitet —
wer bist du, Schmerz-um-Lust, Dunkel-um-Licht?

Die Nacht

Sieh, wie die graue Nacht im Zimmer steht,
voll inneren Dämmerlichtes gleich dem Traum,
ein stiller See, der in dem ruhigen Raum
hoch über uns bis an die Decke geht.

Du hebst den weißen Arm in seine Flut.
Doch du bewegst sie nicht. Sie steht und ruht.
Nur füllen langsam Schatten ihren Schein,
als trüge sie die kühle Luft herein.

Dein Arm, den schwerelos das Dunkel trägt,
sinkt leis auf meine Brust. Und unbewegt
fällt innere Nacht, von Erdennacht umhüllt,
in unser Schaun, das sich mit Schlummer füllt.

Wachsender Schatten

. . . und Augenblicke fühlte meine Hand
die Zeit an sich vorüberfließen.
Es traten Menschen in das Land,
wo meines Sinnens Schatten stand,
vor meinem Blick, um mich zu grüßen.

Die Sonne wandert ohne Ruh',
der Schatten meines Kopfes steigt
und wächst all die Gestalten zu,
von denen jede still sich neigt
und spricht, bis sie erschrocken schweigt:

Was sprecht ihr? Murmelworte sind
wie Bäche, die aus Bergen brechen.
Der, der vom höchsten Felsen rinnt,
der, der den tiefsten Fall gewinnt,
nimmt alle auf, lehrt alle sprechen.

Nur Augenblicke sind wir. Ein Besinnen
der Welt auf sich, wo sie ein Lichtstrahl traf.
Groß ist mein Haupt. Die Menschen dort beginnen
in seinem Dunkel langsam zu zerrinnen,
so wie ich selbst zerrinne in den Schlaf . . .

Paar im Dunkel

Dunkel löscht den Dämmerschein
vor dem Wirtshaus an der Straße,
wandelt Menschen, Tisch und Wein.
Schatten steht in unsrem Glase,
und ich gieße Schatten ein.

Wie wird alles schattenleicht!
Dieses Glas, das ich dir gebe,
diese Hand, die es dir reicht,
so, als ob sie mit ihm schwebe,
so, wie Hauch in Luft hinstreicht.

Still ins Nichts stellst du das Glas.
Hand und Hand will sich nicht lassen.
Kühle weht von Baum und Gras.
Daß wir dunkel uns umfassen,
trink das unsichtbare Glas!

Abend im Thurgau

Aufs Rad gelehnt. Kühlfeuchte Hügelrast.
Die Haut warm, doch im Stehen überfröstelt
vom Herbsthauch. Ein ganz naher Kreis von Erde;
ein ferneloses Land, umringt von Grau.
Silberkartoffelrauch schwelt überm Feld.

Durch beizend scharfe Abendluft und Weindunst,
Geruch von Nüssen und von Moderlaub,
surrt hügelab mein Rad dem Dorfe zu.

Klein fliegt jetzt Lärm aus einer Schenke her
und wächst im schnellen Wehn der Luft, quert breit
aus offener Tür den Damm mit Licht und Stimmen —
und schilt fort wie ohnmächtige Verfolger
fern und verhallend.   Leiser spielt mein Rad.
Ich hör' es raschelnd durch die Blätter streifen,
die den Alleeweg dämmertief bedecken . . .

Nachtgang

Es nachtet schon, die Straße ruht,
Seitab treibt mit verschlafnen Schlägen
Der Strom mit seiner trägen Flut
Der stummen Finsternis entgegen.

Er rauscht in seinem tiefen Bett
So wegverdrossen, rauh und schwer,
Als ob er Lust zu ruhen hätt,
Und ich bin wohl so müd wie er.

Das ist durch Nacht und fremdes Land
Ein traurig Miteinanderziehn,
Ein Wandern stumm und unverwandt
Zu zwein, und keiner weiß wohin.

Im Nebel

Seltsam, im Nebel zu wandern!
Einsam ist jeder Busch und Stein,
Kein Baum sieht den andern,
Jeder ist allein.

Voll von Freunden war mir die Welt,
Als noch mein Leben licht war;
Nun, da der Nebel fällt,
Ist keiner mehr sichtbar.

Wahrlich, keiner ist weise,
Der nicht das Dunkel kennt,
Das unentrinnbar und leise
Von allen ihn trennt.

Seltsam, im Nebel zu wandern!
Leben ist Einsamsein.
Kein Mensch kennt den andern,
Jeder ist allein.

Landstreicherherberge

Wie fremd und wunderlich das ist,
Daß immerfort in jeder Nacht
Der leise Brunnen weiterfließt,
Vom Ahornschatten kühl bewacht,

Und immer wieder wie ein Duft
Der Mondschein auf den Giebeln liegt
Und durch die kühle, dunkle Luft
Die leichte Schar der Wolken fliegt!

Das alles steht und hat Bestand,
Wir aber ruhen eine Nacht
Und gehen weiter über Land,
Wird uns von niemand nachgedacht.

Und dann vielleicht, nach manchem Jahr,
Fällt uns im Traum der Brunnen ein
Und Tor und Giebel, wie es war
Und jetzt noch und noch lang wird sein.

Wie Heimatahnung glänzt es her,
Und war doch nur zu kurzer Rast
Ein fremdes Dach dem fremden Gast,
Er weiß nicht Stadt nicht Namen mehr.

Wie fremd und wunderlich das ist,
Daß immerfort in jeder Nacht
Der leise Brunnen weiterfließt,
Vom Ahornschatten kühl bewacht!

Vergänglichkeit

Vom Baum des Lebens fällt
Mir Blatt um Blatt,
O taumelbunte Welt,
Wie machst du satt,
Wie machst du satt und müd,
Wie machst du trunken!
Was heut noch glüht,
Ist bald versunken.
Bald klirrt der Wind
Über mein braunes Grab,
Über das kleine Kind
Beugt sich die Mutter herab.
Ihre Augen will ich wiedersehn,
Ihr Blick ist mein Stern,
Alles andre mag gehn und verwehn,
Alles stirbt, alles stirbt gern.
Nur die ewige Mutter bleibt,
Von der wir kamen,
Ihr spielender Finger schreibt
In die flüchtige Luft unsre Namen.

Am Gartenfenster

Ausgewandert bis du, meine Seele,
Durch das offne Fenster dieser Nacht
In des Gartendunkels süße Drängnis,
In des Quittenblütenbaumes Pracht,
In den Vogellaut, der spät noch klingt,
— bleib, o bleibe, zärtliches Getön! —
In den Nachtwind, der die Lilien streift,
Und die weißen Lilien sind schön,
In der Beerenbeete künftig Schwellen
Und des Brunnens Nun und Immerdar,
In die große, atemlose Stille —
Sterne fallen, Wünsche werden wahr:
Kindheit ruft, und ruft mit Mutterstimme,
Liebestag glüht auf und Tränenglück —
Ausgewandert bist du, weit von hinnen,
Und ich hol dich, Seele, nicht zurück.

Landschaft der Seele

Kein Himmel. Nur Gewölk ringsum
Schwarzblau und wetterschwer.
Gefahr und Angst. Sag: Angst — wovor?
Gefahr: Und sprich — woher?
Rissig der Weg. Das ganze Feld
Ein golden-goldner Brand.
Mein Herz, die Hungerkrähe, fährt
Kreischend über das Land.

Ein Vorfrühlingstag

Aller Wind ist heimgegangen,
alles Wasser ruht geglättet,
Berg an Berg liegt sanft gekettet,
und der Himmel ist verhangen.

Nur ein Hauch vom Silbergrauen
weckt auf Lachen und auf Spritzern
hier und da ein stumpfes Glitzern,
und die blassen Wolken tauen.

Gipfel liegen noch im Weißen,
doch aus unbegrünten Mulden
keimt unendliches Gedulden
und unendliches Verheißen.

Langsam wächst am Himmelsschleier
ein perlmutterfarbner Streifen,
und ein erstes Vogelpfeifen
rühmt den künftigen Befreier.

In den Bach gebettet

Daß ich die lautere, leichte, die heilsame Kühlung erfahre,
ward ich vor Menschengedenken ins silberne Bachbett
                                                     gesenkt.
Mit der Strömung wehn meine langen grünenden Haare,
reglos in buntem Gerölle ruhn meine Hände verschränkt.

Manchmal haftet an Brust mir und Stirn der Laich
                                         der Forelle,
Muscheln und Schneckenvolk schmiegen sich glatt an
                                         die Haut,
manchmal streift mich der flüchtige Schatten der
                                    schlanken Libelle,
oder es rührt mich gelind ein schlingendes, schwimmendes
                                         Kraut.

Längst vergaß ich das Wort und der Drossel schmetterndes
Rufen,
Schritte und Sensengeklirr und der Glocken hallenden Chor,
und nur das Rauschen der Flut an den Felsenstufen
füllt mir gelassen mit treulichem Gleichmaß das Ohr.

Über mir zieht das Wasser gewichtlos die ewige Reise,
ungeblendet seh ich ins leichte, gefilterte Licht,
unbedürftig des Schlafs, der Hoffnung oder der Speise.
Mich überfluten die Jahre, doch ich erkenne sie nicht.

Der Wanderer

Der Mondennebel hebt sich weiß.
Du gehst und gehst. Auf wes Geheiß?

Wohin? Am Wege hier und dort
stehn Totenbäume, schwarz verknorrt.

Du wanderst. Und im Fernen wird
ein letzter Wagen angeschirrt.

Wirtshaus von Ehedem

Im halben Monde schimmert feucht
der Tannen dunkelnder Behang.
Es fließt sein bläuliches Geleucht
die Felsentrümmer nackt entlang.

Wo ehedem die Einkehr war,
rauscht Wasser, das von Bergen quillt,
und zwischen Stein und Nesselhaar
liegt schief ein rostiges Gasthausschild.

Kein Wirt, kein Mädchen fragt nach dir.
Kühl weht der Wind. Kühl weht die Zeit.
Kehr ein, kehr ein und trinke hier
den Schattentrunk der Ewigkeit.

Die Ausgeschlossenen

Wie früh fällt die braune
Dämmrung des Herbstes ein!
Die Toten stehen am Zaune
und starrn in den Feuerschein.

Sie spüren, daß hinter den Scheiben
die uralte Herdzeit beginnt.
Draußen im Feuchten treiben
Raschelblätter im Wind.

Das Fensterglas ist vergittert,
die Ritze geschlossen mit Kitt,
Und das Frösteln der Toten zittert
in allem Lebendem mit.

Das Nebelhaus

Und da quoll aus dem Nebel ein Haus,
irgendwo, nirgendwo,
schwarz schien es und nieder und krumm,
feucht roch es nach fauligem Stroh.
Und wir pochten die Wirte heraus.

Wir sahen sie nicht,
und sie sprachen halbstumm.
Wir haben ein Rascheln gehört,
irgendwo, nirgendwo,
ein Scharren und Rücken,
hastig und aufgestört.

Sie luden uns zu Feuer und Licht
und gewärmtem Wein.
Wir traten hinein,
irgendwo, nirgendwo,
und wir mußten uns bücken.

Und sie hatten nur Stimme und kein Gesicht,
und die Haut ward uns kalt wie Gestein:
zu Feuer und Licht,
zu gewärmtem Wein
luden sie uns nicht.
Irgendwo, nirgendwo
luden sie uns zu Gericht.

Alte Mordstelle

Nur der Wind umzäunt die Stelle,
alles Wachstum wuchert frei,
Federnelke, Küchenschelle,
Wiesenschaum und Akelei.

Hügel nicht noch Fruchtgefilde
grenzen, gliedern das Gebreit,
und vom Himmel stürzt die wilde
Schwermut der Unendlichkeit.

Niemand weiß, wer hier begraben,
niemand weiß, wer ihn erschlug,
niemand, wer als Totengaben
Stein um Stein zusammentrug.

Wars ein Knabe? Wars ein Alter?
Eine bleiche Pilgerin?
Nur zwei knochenweiße Falter
ziehn gelassen drüber hin.

Manchmal um die Mittagsstunde,
wenn die Luft vor Hitze bebt,
scheints, daß eine dunkle Kunde
unerfaßt vorüberschwebt.

Wers auch sei, mit Summestimmen,
jährig, wenn der Sommer flammt,
halten ihm die wilden Immen
treu ein spätes Totenamt.

Jeden schauert es verstohlen,
den sein Gang des Weges führt,
so, als hätten seine Sohlen
jäh das eigne Grab berührt.

Kehr um, geh heim

Der Herd erlosch. Das Elend spricht dich los.
Das Dach zerfiel.
Kehr um, geh heim in deiner Mutter Schoß.

Mensch, du verlorner Sohn der ersten Zeit,
kehr um, geh heim.
Dein Vaterhaus heißt Ungeborenheit.

Du drangst ans Licht, hast dich zu sein erkühnt.
Kehr um. Wohin?
Wo kühl im Dunkel ewige Hausung grünt.

Antikes Grab

Weißer Marmor wob dem Pinienschatten
eine sanfte Helle ein.
,,Titiena ihrem süßen Gatten
setzte diesen Stein".

Blätter, die im linden Herbsthauch fielen,
rinnen abseits gülden durch das Licht.
Und zwei gelbe Schmetterlinge spielen,
sich umkreisend. Und sie enden nicht.

Auf ein Grab

Der hier begraben liegt, hat nicht viel Geld erworben
und außer dieser hier nie eine Liegenschaft.
Er ist wie jedermann geboren und gestorben,
und niemand rühmte ihn um Tat- und Geisteskraft.

Da er nichts hinterließ, ist er wohl längst vergessen.
Du, Fremder, bleibe stehn und merk auf diese Schrift.
Dann sag mir, ob sein Lob nicht manches übertrifft,
das in der Leute Mund und ihrem Ohr gesessen.

Daß jedes Jahr geblüht, war seine größte Lust!
Da schritt er ohne Hut gemächlich über Land.
Und wenn zu Winterszeit er erstmals heizen mußt,
dann hat er wie den Schlaf den Ofen Freund genannt.

Er teilte brüderlich sein Brot mit Hund und Meise
und wer es sonst begehrt. Hat niemanden verdammt,
hat niemanden gehaßt als nur das Steueramt,
sprach nie vom Börsenkurs und selten über Preise.

Versichert war er nicht und nicht im Sportvereine.
Er ging zu keiner Wahl, er diente keinem Herrn,
sang nicht im Kirchenchor. Zeitungen hielt er keine.
Doch daß ichs nicht vergeß: er hatte Rettich gern.

Er rauchte Caporal. Ist wenig nur gereist.
Dafür hats ihn gefreut, in jungem Gras zu ruhn.
Dann war er noch bemüht, gar niemand wehzutun,
und lobte Gottes Treu und Zuger Kirschengeist.

Du, Wandrer, bitt für ihn. Und bleibe eingedenk,
daß Gott dein Kämmrer ist, dein Truchseß und
                          dein Schenk.

Das quellende Licht

Deine Zunge war verdorrt,
staubig dein Gesicht,
und du suchtest immerfort
das verborgne Licht.

Jenen Quell, der ewig frischt,
ewig sich kredenzt
und mit seinem blanken Gischt
alle Nacht beglänzt.

Standst in grauen Pilgerschuhn
vor so manchem Tor.
Wie die Unbehausten tun,
starrtest du empor.

Wandtest dich und wurdest alt,
braunes Haar erblich.
Alle, die mit dir gewallt,
sie verließen dich.

Weißt es nicht, wer dich berief
noch wer dich verbannt,
nur daß dir in Träumen tief
einst ein Licht gebrannt.

Nun das dünne Licht verglomm,
bleibst du ungestillt?
Geist und Braut, sie sprechen: Komm!
Und das Wasser quillt.

Ballade vom Sommer

Er kam in das blühende Land,
Wo Fruchtbaum an Fruchtbaum stand,
In die Quellen hielt er die Hand
Und schloß ihren Ursprung mit glühend versiegelndem Brand.

Die Sonne auf sein Geheiß
Schärft den unentfliehbaren Strahl,
Und die endlose Straße stäubt weiß,
Und die Felder seufzen gebräunt und strecken sich
                                    ganz übers Tal.
Den Schlauch der Winde, er band
Seine duftenden Bänder auf,
Und der Sturm ergriff das Gewand
Der schlummernden Berge und wühlte es brünstiger auf.

Der Wolken fröhlicher Zug
Ward schwer zusammengeschnürt,
Es stöhnte der Berg, der sie trug,
Eh sie stürzend den Boden verdunkelter Täler berührt.

Und wie kams, daß er sich besann?
Denn er nahm das lauterste Gold
Der Sonne weg, und es rann
In die Frucht, die wegspringt und nacktem Fuße hinrollt.

Unter Garben, mächtig gefügt,
Liegt er still, bis die Sonne sinkt,
Und schweigt, und lächelt vergnügt,
Wenn die Grille betäubend schreit und die Heuschrecke
                                    über ihn springt.
Und mit dem Wagen, der schwer
Sich am Abend mit Garben belud,
Geht er müd und stolpernd einher
Und geht ihm durchs Scheunentor nach und schließt
                                    es hinter sich gut.

Die Schönwetterhexe

Irgendwo im Laub hat sie gelacht,
Und es glänzt von ihren blanken Augen!
Und der Jüngling läßt sein schönes Liebchen,
Hat sich nach der Hexe aufgemacht.
Und ihm dünkt, daß er die Fährte fand;
Hier im Wald dies ist ihr goldner Fußtritt,
Dort die Blume trägt die Zauberbotschaft,
Denn durchleuchtet ist des Kelches Wand!
Schleicht er vor, so gängelt ihn ein Falter,
Morgenfrisch wie er noch keinen sah,
Sonnendisteln nisten längs des Weges,
Eine jede ist ein strahlend Ja!
Fort! Ihr nach! Da jauchzt er hingerissen:
Eine Felsenbühne öffnet ihm
Ihre prangenden Kulissen,
Und er geht durch sie mit Ungestüm.
Rieseln einmal Steinchen durch die Stille,
Ihre flinke Sohle hats getan!
Dort im Winkel ihre schneegewobne Hülle!
Und die Hexe schritt ihm nackt voran!
Und ihm tobt das Herz. Ich faß dich droben!
Doch beklommen tritt er und allein
In ein Blau, das furchtbar ferngehoben,
Und nur Moos umdorrt den Gipfelstein.
Schmelz von Wangen, Schmelz der schönsten Glieder
An die ungeheure Welt verteilt —
Wohin jetzt? Und bange späht er nieder,
Ahnend, daß ihm nichts die Sehnsucht heilt.
Starrt, wie blendend von den Gipfelgrenzen
Bis zum tiefen See der Abend quillt,
Und er weiß nicht, flog sie in sein Glänzen,
Oder sank sie in sein Spiegelbild.

Hochsommernacht

Ich liege wach und lausche,
Ich weiß, es ist schon spät,
Ich horch auf die Musik hinaus,
Die in den Wiesen geht.

Die Sonne, die sie tranken,
Hat tief sie aufgeregt,
Daß lang noch an der Last des Lichts
Ihr Puls im Dunkeln trägt.

Vom Lindenbaume löst sich
Ein Wehen ganz gering,
Das wandelt kühl zu mir herein
Und sucht den Schmetterling,

Der irgend in die Stube
Vom Tag mir ward geführt
Und nun an seinem Plätzchen still
Die finstern Schwingen rührt.

Weihnachts-Choral

Jahr, dein Haupt neig!
Still abwärts steig!
Dein Teil ist bald verbrauchet.
So viel nur Lust
Noch darleihn mußt,
Als uns ein Tannenzweiglein hauchet.

Herz, werde groß!
Denn namenlos
Soll Lieb in dir geschehen.
Welt, mach dich klein!
Schließ still dich ein!
Du sollst vor Kindesaug bestehen!

Das Dorf

Die Wagen fuhren früh hinaus.
Die Straßen liegen leer.
Es blitzt der Brunnen vor dem Haus.
Von ferne rauscht das Wehr.

Die Luft wird langsam golden-schwül.
Die Schwalben schreien schrill.
Und nur die Gärten duften kühl
Nach Minze, Lauch und Dill.

Im Hof auf grauem Treppenstein
Sitzt eine alte Frau,
Und Schüsseln geben schönen Schein
In tiefem Braun und Blau.

Der Mittag müdet Aug und Ohr
Mit siedendem Gesumm.
Im Schatten vor dem Scheunentor
Kauern die Hühner stumm.

In dunklem Stalle rauscht das Stroh,
Und eine Kette klirrt.
Du hebst den Blick ins Blaue, wo
Ein Schwarm von Tauben schwirrt.

Die Linden rühren sich verzückt
In seligem Gewühl.
In der verlassnen Kirche rückt
Die Sonne durchs Gestühl.

Die Orgel dämmert, schlafbewacht,
Nach sonntäglichem Braus.
Beim Kreuz auf dem Altare steht
Ein bunter Blumenstrauß.

Der sendet stille Tage lang,
Von Menschen ungestört,
Zum Himmel einen Lobgesang,
Wie Gott ihn gerne hört:

Aus Rosen, Lilien, Rittersporn
Glück, Demut, Atem rein,
Daß stiller Stengel, dunkler Dorn
Mag ewig selig sein.

Liebe

Nun stehn die Hirsche still auf dunklen Schneisen,
die Löwen stehen still im Felsentor
nun schweigen Nachtigallen ihrer Weisen
und Sterne, Sterne hören auf zu kreisen
und aus den Sonnen tritt kein Tag hervor.

In gleiche Nacht sind wir nun eingetaucht,
in gleichen Tag und wieder Tag und Nacht,
ein gleiches Sterben hat uns angehaucht,
zwei Leben sind im Augenblick verraucht
und gleiches Wissen hat uns stumm gemacht.

Es ist als ob die Welt sanft von uns wich —.
Die Löwen stehen still im Felsentor
und Sterne, Sterne — Mond und Stern verblich
und alles starb, als du und ich
und ich und du sich Herz in Herz verlor.

Wo hast du all die Schönheit hergenommen,
Du Liebesangesicht, du Wohlgestalt!
Um dich ist alle Welt zu kurz gekommen.
Weil du die Jugend hast, wird alles alt,
Weil du das Leben hast, muß alles sterben,
Weil du die Kraft hast, ist die Welt kein Hort,
Weil du vollkommen bist, ist sie ein Scherben,
Weil du der Himmel bist, gibt's keinen dort!

O blühende Heide, welken wirst du müssen!
O Sternenantlitz, mußt du auch vergehn?
Es gäb ein andres Glück als dich zu küssen,
Und andre Wünsche als dich anzusehn?
Ihr Seelenaugen, warmes Licht der Liebe,
Erlöschen sollt ihr? nie mehr widerspiegeln
Die goldne Bläue über diesen Hügeln?
Du wärst dahin, und Erd und Himmel bliebe?

Du kamst zu mir, mein Abgott, meine Schlange,
In dunkler Nacht, die um dich her erglühte.
Ich diente dir mit Liebesüberschwange
Und trank das Feuer, das dein Atem sprühte.
Du flohst, ich suchte lang in Finsternissen.
Da kannten mich die Götter und Dämonen
An jenem Glanze, den ich dir entrissen,
Und führten mich ins Licht, mit dir zu thronen.

Uralter Worte kundig kommt die Nacht;
Sie löst den Dingen Rüstung ab und Bande,
Sie wechselt die Gestalten und Gewande
Und hüllt den Streit in gleiche braune Tracht.

Da rührt das steinerne Gebirg sich sacht
Und schwillt wie Meer hinüber in die Lande.
Der Abgrund kriecht verlangend bis zum Rande
Und trinkt der Sterne hingebeugte Pracht.

Ich halte dich und bin von dir umschlossen,
Erschöpfte Wandrer wiederum zu Haus;
So fühl ich dich in Fleisch und Blut gegossen,

Von deinem Leib und Leben meins umkleidet.
Die Seele ruht von langer Sehnsucht aus,
Die eins vom andern nicht mehr unterscheidet.

Kindheitsgarten

Als ich dein war,
Weißt du es noch?
Als mir das Haar
Nach deinem Odem roch,
Tauig und naß
Voll deiner Tränen hing,
Als mir dein Gras
Noch bis zur Schulter ging.
Als meine Hand,
Braun und klein wie ein Tier,
Aufwarf den Sand,
Wühlte zum Herzen dir —
Weißt du es noch? —
Rund war mein Knie,
Von deinen Rinden zerrissen . . .
Ach du — *ich* weiß — aber wie
Solltest du wissen —

Regennacht

Ach, du allzuferner Nächster, höre
Meine Stimme atmen durch den Regen,
Wenn der Sommerwolken Flüsterchöre
Sich im Laub durch kurze Nächte regen —

In dem Laub des jungen Pfirsichbaumes.

In dem Pfirsichbäumchen an der Mauer
Düsterrot die reifen Früchte hangen.
Morgens perlen weiß in klarer Trauer
Silbertropfen auf den rauhen Wangen —

In der flücht'gen Trauer eines Traumes.

Durch den Traum gehn lautlos unsre Füße,
Lächeln unsre Herzen sich entgegen.
Durch den Traum strömt einig alle Süße:
Tränen, Pflanzensäfte, Blut und Regen —

Tropfend aufgelöst sind Raum und Wände.

Tropfen, Tropfen flüstern, seufzen, eilen,
Vom verhüllten Vollmond schauert Kühle.
Warst du fern so viele viele Meilen,
Den ich durch mein Blut jetzt wandern fühle?

Süßer Regen, regne ohne Ende. —

Abschied · I

Ich ließ die Türe offen.
Langsam ging ich die Stufen.
Ich dachte: vielleicht, daß du riefest —
Aber du hast nicht gerufen.

Ach, das ist Regen
Auf meinem Gesicht.
Ich bin von dir gegangen.
Du fühltest es nicht.

II

Du bist gegangen — ach —
Und ich hatte so viel noch zu fragen.
Du hattest Antwort — ach —
Und hast sie von hinnen getragen.

Nun sitze ich, arm, allein,
Mit meiner dunkelen Seele,
Und wandle zu Klang den Stein
Und hauche mein Herz durch die Kehle.

Trost

Unsterblich duften die Linden —
Was bangst du nur?
Du wirst vergehn, und deiner Füße Spur
Wird bald kein Auge mehr im Staube finden.
Doch blau und leuchtend wird der Sommer stehn,
Und wird mit seinem süßen Atemwehn
Gelind die arme Menschenbrust entbinden.
Wo kommst du her? Wie lang bist du noch hier?
Was liegt an dir?
Unsterblich duften die Linden —

Hymnen an die Kirche

Ich bin in das Gesetz deines Glaubens gefallen wie in ein
    nackendes Schwert!
Mitten durch meinen Verstand ging seine Schärfe, mitten
    durch die Leuchte meiner Erkenntnis!
Nie wieder werde ich wandeln unter dem Stern meiner Augen
    und am Stabe meiner Kraft!
Du hast meine Ufer weggerissen und hast Gewalt angetan der
    Erde zu meinen Füßen!
Meine Schiffe treiben im Meer: alle meine Anker hast du
    gelichtet!
Die Ketten meiner Gedanken sind zerbrochen, sie hängen wie
    Wildnis im Abgrund.
Ich irre wie ein Vogel um meines Vaters Haus, ob ein Spalt
    ist, der dein fremdes Licht einläßt,
Aber es ist keiner auf Erden, außer der Wunde in meinem
    Geist —
Ich bin in das Gesetz deines Glaubens gefallen wie in ein
    nackendes Schwert!

Aber es geht noch Kraft aus von deinen Dornen, und aus
    deinen Abgründen tönt Gesang.
Deine Schatten liegen auf meinem Herzen wie Rosen, und
    deine Nächte sind wie starker Wein:
Ich will dich noch lieben, wo meine Liebe zu dir endet.
Ich will dich noch wollen, wo ich dich nicht mehr will.
Wo ich selbst anfange, da will ich aufhören,
    und wo ich aufhöre,
    da will ich ewiglich bleiben.
Wo meine Füße sich weigern, mit mir zu gehen, da will
    ich mich einknien,
Und wo meine Hände versagen, da will ich sie falten.
Ich will zu Hauch werden in Herbsten des Stolzes und zu
    Schnee in Wintern der Zweifel,

Ja, wie in Gräbern von Schnee soll alle Frucht in mir
    schlafen.
Ich will Staub werden vor dem Fels deiner Lehre und Asche
    vor der Flamme deines Gebots —
Ich will meine Arme zerbrechen, ob ich dich mit ihren
    Schatten umfange.

Denn überall auf Erden wehet der Wind des Verlassens:
    lausche, wie es in den Fluren der Welt klagt!
Überall ist einer und niemals zwei!
Überall ist ein Schrei im Gefängnis und ist eine Hand hinter
    vermauerten Toren;
Überall ist einer lebendig begraben!
Unsre Mütter weinen, und unsre Geliebten verstummen;
    denn keiner kann dem andern helfen: sie sind alle allein!
Sie rufen sich von Schweigen zu Schweigen, sie küssen sich
    von Einsamkeit zu Einsamkeit. Sie lieben sich tausend
    Schmerzen weit von ihren Seelen.
Denn alle Nähe der Menschen ist wie Blumen, die auf Grüf-
    ten welken, und aller Trost ist wie eine Stimme von
    außen. —
Aber du bist wie eine Stimme mitten in der Seele.

Und deine Stimme spricht:

Ich streife meine Schuhe von den Füßen, ich streife mein
    Endliches ab und trete auf ein Land ohne Grenzen:
Brechet auf, alle dunklen Brunnen meines Lebens!
Fliegt herzu, alle meine Nächte, ihr schwarzen Vögel der
    Schuld, fallt auf mich herab mit ausgestreckten
    Schwingen:
Ich will in mein tiefstes Leid eingehen, daß ich meinen
    Gott finde!

Denn groß ist das Leiden in der Welt, gewaltig ist es
und unendlich.
Es hat umfangen, an dem Himmel und Erde zerschellen, es
hat ausgehalten das Gewicht der ewigen Liebe!
Heiliger Gott, heiliger Starker, heilger Unendlicher,
Du Gott unter meiner Sünde, du Gott unter meiner
Schwachheit, du Gott unter meinem Tode:
Ich bette meinen Mund auf deine Wunden, — Herr, ich
bette meine Seele auf dein Kreuz!

Bronzebild eines späten römischen Kaisers

Der glotzt dich an so ausgesognen Augs,
Daß du errätst, wie blaugedunsen ihm
Die Wange fahlte, als der Bote schrie:
„Du bists, der morgen kämpft, um Reif und Stirn!"
Und wie die fette, kleine Mörderhand
Die Schale doch zerklirrte, als darein
Der letzte Sklav barmherzig Gift verrieb.
Rätst, wie er floh im Mantel seines Kochs
Mit heiserm Kreisch, als von der Mauer ihm
Der eigne Schatten wild sich gegenwarf.
Und wie er endete, drunten am Sumpf
In dumpfer Fieberstube, immer blöd
Nach bösen Schatten schielend, rätst du jäh
Aus dieser scheuen Stirne (die noch flieht
Im trotzigen Metall) des Herrn der Welt.

Advent

Du kamst, und alle Luft hing ohne Laut.
Du kamst, und dieses Herz war ohne Schrei.
Du kamst — da aber fing das Nachtigallen
In den Schwarzgärten an, fürstlich verwildernd,
Du kamst — da ging ein nie gehörtes aus,
Ein Rosenrufen Ufern her zu Ufern,
Mond flog herauf, die grünen Türme neigten
Zur Königsflut sich nieder deines Boots,
Und nie gesehen feierlich Gebirg
Hinschleppte lang den Saum der samtnen Nacht.
Du kamst — die Stufen spülte dir der Rhein,
Vor deinen Haaren zitterte der Wind,
Von deinen lieben Händen tropfte Mond,
Die Mauer sog den Schatten deines Gangs,

Von Ästen überjauchzten sich die Rufer,
Und unter Schritten, leichten eines Gotts,
Zur Spreite dir nicht Paradies genug
Bebten die blühenden vor Scham, die Ufer.

Der Gärtner

Was kümmert mich euer Blut?
Rosen sind röter als ihr.
Welt verloh. Ich bin Flut.
Zur Blume ward mir das Tier.

Gießen ist froher Lohn,
Töt ich, ists welker Trieb,
In schlanker Knospen Fron
Wird Wachsen himmlisch lieb.

Die Welt ward sacht zum Beet,
Ich wehre nur leichten Dämonen,
Buch ist und Lehre verweht,
Weisheit der Götter steht
In Rosenkronen,

Die Zukunft

Wie ein Fisch, der in der roten Pfanne
Aufschnellt, winden sie in harten Leiden
Sich verzweifelt, doch der roten Pfanne,
Prophezei' ich, ihr entfliehet keiner.

Wieder mehrt Verzweiflung ihre Qualen,
Feiges Dulden. Wie ein heißes Lager
Ist die Angst, und tiefes Todesgrauen
Schnauben sie wie schwarzen Dunst ins Blaue.

Gibt es Rettung? Rettung? Welche Stimmen
Hör ich rufen? Kraftlos wilde Schreie!
Wie die Städte brausen! Doch die Wüsten
Und die großen, wilden Wälder schweigen.

Schön ist die Vernichtung, wo das Niedre
Übermächtig herrscht. Und nimmer lieben
Götter das Gemeine, nicht den Aufruhr.
Ordnung lieben sie und hohe Schönheit.

Bald nun werden ihre weiten Hallen,
Ihre Säle hell von Feuern leuchten.
Widerstrahlend von der Erde Flammen
Werden sie, das Auge blendend, leuchten.

Erz ist euer Wagen, Flügel, Flosse.
In den Elementen hebt und senkt ihr
Euch wie Adler, seid dem schwarzen Löwen
Gleich und gleich den schnellen, kühnen Fischen.

Wie ein Hag von Rosen blüht das Feuer.
Duftlos brennt es. Rote Flammen stürzen
Auf die Städte, eherne Geschosse.
Wie der Wind, wie Staub verwehn die Klagen.

Die neue Wildnis

Es geht der Baum, ein rötlich Feuer,
Dort in der Eb'ne auf.
Die Flamme schlägt, ein Ungeheuer,
Den kahlen Berg hinauf.

Der Park verwildert. Ranken
Durchziehn ihn kreuz und quer.
Die wilden Früchte schwanken
Und fallen schwer.

Des Marmors Achsel grünt, ein Zeichen
Der Zeiten wunderbar.
In Höhlen wächst, in süßen, reichen,
Der Honig sonnenklar.

Diana, die in Blumen sinket,
Der Schwan vor Ledas Schoß,
Die lieblich ihm aus Unkraut winket,
Sie grünen auch von Moos.

Es stürzt das Tor. Da schlingen
Die Winden sich ins Licht,
Dieweil aus Stein und Ringen
Der bittere Wermut bricht.

Der Fremde kommt und findet keinen,
Der Einlaß ihm verwehrt.
Die Gäste sind entfernt. Da scheinen
Die Sterne auf den Herd.

In blinde Spiegel aber schauen
Nur Tiere stumm hinein
Und finden sich im Glas, im blauen,
Mit ihrem Spiegelbild allein.

Nachts auf den Gräbern strahlen Feuer
Der Wölfe Augen leuchtend kalt.
Wie Messing gelb. Sie traben um die Scheuer
Und fliehen in den Wald.

Denn Geister, silberblaß, beschreiten
Unsichtbar Pfad und Wand,
Wenn blaue Flügel breiten
Die Sterne überm Land.

Der Wildschwan

Hoch über euren Kronen, ihr Eichen, zog
Der Wildschwan fort, da riß ihn ein Feuerstrahl
Herab zur Erde. Dumpf auf scholl der
Boden des Walds von dem schweren Falle.

Wo ist, o schöne Leda, dein Buhler jetzt?
Flaum fliegt im Winde, purpurne Tropfen blühn
In Laub und Gras, die Nebel steigen
Herbstlich am Schilfe der feuchten Ufer.

Die Klage des Orest

Wohin? Wohin, o Strom, o du himmlisch Licht?
Wohin, ihr Wolken? Aber dahin mit euch
Nun treibt es mich, und ruhlos, rastlos
Über die Heiden und Felsen geh ich.

Weh mir! O Mord! O heillos unseliges
Geschlecht, o du von herrlichem Heldenstamm
Ergrüntes Haus, in welche Nacht jetzt
Bist du, erhabenes Haus, gesunken?

O Schmerz, o Schmerz! Wie Feuer versehrst du mir,
Hinauf die Hüfte fahrend, mit wildem Licht
Die Sprache mir, du blinder, tauber
Nimmer zu zähmender Gast und Zehrer.

All-allumflossen bin von dem Strome ich
Des schwarzen Leids, und nimmer verborgen doch.
So nahe seid ihr, Götter. Euch selbst
Seh' ich erbeben vor solchen Wunden.

Schwerttanz

Muskel des jungen Lieds, du sprengest, reißest die
                              Ketten jetzt,
Fließest in freiem Flusse, der unbezwungenen Wildnis Kind.
Vorwärts tanze ich, tanze rückwärts, tanze durchs
                              Feuer jetzt.
In des ungefesselten Wortes Schwerttanz schwing ich mich,
Schwing ich mich, in der Sprache Waffengang, erfinde ein
Wilderes Lied mir. Singe doch! Singe lauter! Singe
Unbekümmerter den Gesang! Und wieg in des Krieges
Lied dich, wieg dich im Erdgesang, wieg in der Flamme
                              dich, in der
Sprache Witt'rung und Wäldergeist wieg, o nackter
                              Krieger, dich
In des ungebändigten Wortes Gliedern, o Sprache,
Faß ich dich! Wildnis, dich fasse ich! Vaterland, dich
                              umarme ich!

Die Delphine

Sag, was ists, das mich erheitert,
Wie der Lorbeer, die Zitrone?
Warum muß ich lachen, ohne
Daß ein Widerspruch mich peinigt?

Wie das Erz auf einer Scheibe
Sanfter rundet sich im Gusse,
Spielend sich erhöht im Flusse,
Wallt es in dem nassen Reiche.

Aus den glatten Wassern steigen
Die Delphine; von den feuchten
Flanken trieft es, und ein Leuchten
Fährt gleich Blitzen in die Weite.

Hebung sind und Senkung eines,
Und im Steigen wie im Fallen
Spüre ich: Ein Maß ist allen
Dingen dieser Welt verliehen.

Seliges Erstaunen zwingt mich,
Und ich sehe mit Entzücken:
Von den runden, schwarzen Rücken
Rollt ein Kamm von Silber nieder.

Mit den Wassern sind sie einig,
Doch genügt nicht wie den Fischen
Diese Flut, sie zu erfrischen,
Kosten müssen sie vom Lichte.

Siehe nun, wie sie es treiben.
Duft und Feuer fährt zusammen,
Wenn die Leiber in den Flammen
Zarten Äthers lustvoll kreisen.

Und sie wiegen sich gewichtlos
Wie die geistigsten Gedichte,
Prismen sinds aus blauem Lichte,
Keines ihrer Teilchen lichtlos.

Abschiedslied

Ihr, die ihr verehrt der Mandarinen
Hohe Schreiberkaste
Und mit feierlich verdross'nen Mienen
Hockt im Amtspalaste,

Wißt, zuwider ist mir Ost und Westen,
Nord und Süd geworden,
Und ich bin der alten Vesten
Satt und müd' geworden.

Meine alte Haut hab' ich zerrissen
An den Stachelhecken,
Meine alte Haut ist abgeschlissen
An den Jahresecken.

Heute streift' ich an dem Dornenhange
Meine Haut herunter.
Klug geworden bin ich wie die Schlange,
Biegsam, boshaft, munter.

Keinem dienstbar roll' ich in dem Gange
Hoher Mittagszeiten,
Wiege mich im Tanz zu eignem Sange,
Froh, mich zu begleiten.

Gleich der Natter ist des Lichtes Helle
Mehr als Gold mir teuer.
Mich belebt wie Durstige die Quelle
Reines Himmelsfeuer.

Laßt die abgegriffnen Leiern
Selbst im Lied sich preisen.
Besser ist, du fliehst die Feiern,
Fliehst die hohen Weisen.

Ich verlache eure Schliche, eure Tücken,
Plumpe Schlangenfänger.
Eure Weise kann mich nicht berücken,
Dumpfe, dunkle Sänger.

Ruhm nicht bringt es, eure Schlachten
Mitzuschlagen.
Eure Siege sind verächtlich
Wie die Niederlagen.

Ultima Ratio

Wie der Titanenwitz
Hinweg nun siedet,
Wie alles rostig wird,
Was er geschmiedet.

Sie hofften töricht toll,
Daß es gelänge.
Nun brechen überall
Blech und Gestänge.

Die Unform liegt umher
In rohen Haufen.
Geduld! Auch dieser Rest
Wird sich verlaufen.

Sie schafften stets ja mit,
Was sie vernichtet,
Und fallen mit der Last,
Die sie errichtet.

Im Grase

Glocken und Zyanen,
Thymian und Mohn.
Ach, ein fernes Ahnen
hat das Herz davon.

Und im sanften Nachen
trägt es so dahin.
Zwischen Traum und Wachen
frag ich, wo ich bin.

Seh die Schiffe ziehen,
fühl den Wellenschlag,
weiße Wolken fliehen
durch den späten Tag —

Glocken und Zyanen,
Mohn und Thymian.
Himmlisch wehn die Fahnen
über grünem Plan:

Löwenzahn und Raden,
Klee und Rosmarin.
Lenk es, Gott, in Gnaden
nach der Heimat hin.

Das ist deine Stille.
Ja, ich hör dich schon.
Salbei und Kamille,
Thymian und Mohn,

und schon halb im Schlafen
— Mohn und Thymian —
landet sacht im Hafen
nun der Nachen an.

Notturno

Kiesweg und Mond überm Baume:
Alles ist leise gesagt.
Alles ist innen im Traume.

Spur um den Mund, die es klagt,
Stirn, die hinauf zu den Sternen
leidet und lodert und fragt.

Ach, aus der Reue zu lernen:
Jegliches ist nur geschenkt,
uns von uns selbst zu entfernen.

Zeit, wo die Kühle sich senkt!
Stund, wo der heimlich Verstörte
bitter den Abschied bedenkt.

Daß doch dein Herz es noch hörte!
Fühl, wie der Nachthimmel ragt,
der uns vor jenem betörte.

Spur um den Mund, die es klagt,
Kiesweg und Mond überm Baume.
Kerze, verflackernd im Raume:
Alles ist leise gesagt . . .

Still zu wissen, du gehst
bald hinab zu den Vätern.
Oben im heiligen Blau
fahren die Wolken im Wind.

Beug dich über die Strömung,
höre die Wasser schweigen!
Hast du je vorher
ähnlich wie diesmal geliebt?

Wer noch Zeit hat, der weiß nichts.
Tiefes Leben! O Abschied,
bittre Schwäche des Herzens
unter der Blumengewalt.

Nicht zu fassen und traurig.
Süße, süße Gestalten!
Ach, mit Blüten beschwert ihm
nicht seine letzte Fahrt!

Dunklerer, brauner Herbst,
laß dich noch einmal umarmen!
Fallen die Früchte, vielleicht
bricht gelassner das Herz.

Fortgehn im Frühling ist schwer.
Wachsam sind aber die Toten.
Schöne Blume, ich darf nicht.
Strenge Mutter, ich geh . . .

Den Menschen nicht zu denken ist leicht. Behend
und frech umschreibt sein Dunkel ein halbes Wort.
Ja, recht behält, wer sich nicht einläßt
mit den Gewalten. Denn Recht heißt Fläche.

Doch du, Hinabgebeugter? Was kümmert dich
der Tag? Dir starb die Zeit. Die Geliebte ging,
die Mutter schwand. Die warmen Wände
ragen nicht mehr: Du entfielst der Liebe.

Und fällst und fällst (weil nichts mehr geschehen *kann*
als Fallen, wo die Liebe nicht trägt). Wohl ist
im Augenblick des Menschen Spur ganz
nah, doch im nächsten verwischt für immer.

Laß jene deuteln. Einige grüßen dich
durch Gram und Sturz. Sind Brüder. Die wissen viel,
wie alle ohne Liebe: Jenes
letzte Allein und den wüsten Becher.

Auf das Unabwendbare

Der hier weiß seinen Weg und geht ihn mit Stolz.
$\qquad$ Oder tückisch
schiebt er sein Planvolles vor. Oder ihn treibt nur
$\qquad$ die Nacht.
Aber blind sind wir alle. Sehn nicht, wie uns das Höhere
Ringelbahn führt und es kommt jeder im Kreise vorbei
an dem starrenden Antlitz, und jeder noch einmal
$\qquad$ und wieder,
und mit jedem Mal reift größer, gewisser die Angst.
Zwings, versuchs doch! Heb den tappigen Fuß aus
$\qquad$ dem Bügel
deines hölzernen Pferds: Spring und verlaß dich auf Gott!
Nicht einen Takt unterbricht ihr Spiel die mechanische
$\qquad$ Orgel
nach dem tödlichen Sturz. Einer der Zuschauer lacht,
neigt sich zu seiner Gefährtin, lacht wieder. Dies alles
$\qquad$ ist furchtbar.

Auf den Einsamen senkt sich der Ruhm. Den
$\qquad$ Trauernden heben
plötzlich Arme empor. Aber die Stille von einst
war der Adel, der Trotz, der Gram, das heilige Feuer.
Die ihn verrieten, beschwörn; schwören. Er wollte es nicht.
Unentrinnbar ist alles. Er setzte ein Reis: Und die Dürre
frißts. Er baute ein Haus: Und es vernichtets der Blitz.
Er erzeugt' einen Sohn: Der mißrät und geht vor die Hunde.
Immer schlägt uns zutiefst, was wir am tiefsten geliebt.

Ach, dem Redlichen hilft der Glaube. Wer aber fällt dem
Irrenden kühl in den Arm, bändigt die Hoffart, besteht
vor der eigenen Nacht, der frevelnd gewollten? Wer wendet
mit dem helleren Blut dunkle Ahnengewalt?
Jeder geht in den Tod, gelassen, als ging er ins Leben.
So wie der Süchtige krankt, dem man die Droge entzieht,
und es weiß und sich schämt und das Ende vorhersieht,
nehmen wir weiter das Gift; stündlich, täglich. Und nichts
hält uns Benommene auf. Kein Machtwort. Dies alles
                              ist furchtbar.

Einmal — Geschah es dir auch? — dröhnt außen der Schlüssel.
                              Wie Gnade
geht deine Zellentür auf: ,,Wag es nun!" Du aber schläfst
oder vernimmst wohl, doch alle der Gram der
                              verlorenen Jahre
packt dich, verwirft dich. ,,Geh fort!" stöhnst du. ,,Ich
                              will nicht." Und bleibst.
Draußen ist vieles: das Recht, die Würde, der Mensch. Aber
                              kann denn,
wem das Herz längst schwand, so zu den Seinen zurück?
Säh er die Diele von einst, den Tisch, gedeckt,
                              und Narzissen,
kindlich frommer Willkomm, stünden vielleicht auf
                              dem Spind:
Nein, es wäre zuviel. Und *langt nicht*. Dies alles
                              ist furchtbar.

Schau nicht! Wende dich! Schweig! Hier ist nur
                              Schweigen gemäß.

II

Vorstadt · *(1)*

So rote Dunkelglut des Sichelmonds —
So tief stehst du, so fern mein Mond im Untergang.
Ist keine Sonn, kein Stern, der mir so wehe tut
Wie dein Versinken und die dumpfe Glut,
Oh meine Nacht ist lang, und du gehst früh!
Schon hinterm Wald stehst du, schon hinterm düstern
                                        Wald,
Am schwarzen Horizont verschwelt dein Glühen.
Du sankst noch nicht so tief als höchster Bäume Kron;
Von meinem einsamen, hochhängenden Balkon
Seh ich den Wald noch und viel Lichter in den Häusern, und
Dich seh ich nicht mehr, Mond, so löscht dich Nacht
                                        und Not.
Mein Mond ist tot, die Nacht geht hoch,
Die Sterne stehen lautlos und die Straßenlichter brennen.

(2)

Die Julinacht, und Feuerwerk,
Und Lichter von dem hochgelegnen Bahnhof,
Das nahe Hornsignal aus der Kaserne,
Und auch ein Kichern in der Nacht, und laute Stimmen,
Und wieviel Flüstern wird da sein das ich nicht höre . . .
Es ist doch eines fern dem andern
Und so verstreut umher.
Ganz mitten durch mein Julilandschaftsnacht-und-
                                        vorstadtbild
Trägt ja der Lichterbahnzug von und weg viel Menschen,
Die sind nicht einsamer als ich,
Es ist doch viel beisammen in der Welt das nur so
                                        hingestreut.

(3)

Des Sommers Mattglanznacht ist trüb geworden,
Bald wird am Horizont die erste Farbe sein
Im Norden-Ost, die Nacht ist wartend.
Ich hab die langen Stunden bei der Lampe
Mit meinem Geist durchdacht und nun steh ich
Auf dem Balkon vor meinem Haus und schaue
Ins weite Feld und über Straßen.
Die ersten Wagen hör ich rollen, die zu Markt
Fahren in die Stadt, und aus der Haustür
Drüben seh ich kommen einen Mann mit der Laterne,
Die er an seinen Wagen schraubt. Der will gleich fahren.
Ich aber ende meinen Tag, derweil der eure
Schon fast beginnt. Ich werde nicht die Sonne
Aufsteigen sehn, mein Aug wär nicht der Farben froh.
Oh ich will schlafen! Ach, und dann ist auch nicht
Mein Leid begraben, das mir grau im Hirne hockt.

(4)

Oh Morgengraun!
Wie aus dem Dunklen drängt
Der Himmel doch herein!
Als flösse Luft mit trübem Licht
Von fernher in die dumpfe Welt;
Das Dunkel dampft, ist Rauch, und zieht wie Nebelruß
In eine andre Welt — — nun ist zu atmen
Der Raum schon leerer, Licht strömt ein
In immer klarern Bächen; nun die Flut
Ganz nah an meinem Herzen . . .
Licht ist leuchtend!
Und dann erst brennt der Morgen wie ein Rosenstrauch.

Regen

„Dies ist ein Wetter, sich ins Grab zu legen,"
Ganz tief zu kriechen unter meinen Fuß.
Grautrübsal will sich auf die Erde legen,
Der Himmel steigt herab mit müdem Fuß.
Und überm Himmel hängt ein trüber Regen,
Und überm Regen ruht ein Sonnenruß,
Und alles will sich übers andre legen,
Und will sich auf die welke Erde legen,
Herbstlaub zu unterst, Wurm, und Tausendfuß.
Ich will mich kriechen in ein Grab und Haus
Wie toter Sommer und vergrabne Maus,
Ich will mich unter eine Decke legen —
Legt einen Deckel über Kopf und Fuß!
Ich will mich ganz in einen Sarg verlegen,
Auf meinem Grabe steht mit schwerem Fuß
Frau Grau und streut am Kirchhof Rost und Ruß . . .

Kausalität

Als der Tod sich wundgelegen hatte,
Fuhr er in einen Leichnam und ging spazieren,
Kam in die krumme Gasse am Fleet:
Da war eine Ziehharmonika, und Rum und Tabaksqualm,
Da tanzte das Leben auf breiten Füßen
Und schwitzte vor Lust und Juhu.
Ihr gefiel der Tod, denn der Leichnam war von einem
                                  schlanken Manne,
Aber die andern steckten ihm ihr Messer in die Brust —
Zwei hingen am Galgen und der dritte sprang in den
                                  Kanal.

Aber die Liebste ward fromm, und ging ins
Magdalenenstift . . .
Das konnte der Tod nicht vorher wissen.

Als nun die Seele zur Hölle fuhr
— Die Seele der Liebsten, oh ja —
Lag der Tod neben dem Leichnam und stöhnte:
Uralte Klagen vom Leben und Sterben
Und von der Liebe ein Intermezzo.
Da waren die Seele, der Leichnam, der Tod
Zu dritt, und solches tut nimmer gut.
Sie gingen, den Leichnam der Liebsten zu holen,
Der kannte sich gar nicht aus.

Da kroch der Tod in Weibes Leiche,
Da buhlte die Seele mit schönem Mann:
Ein Kind und ein Kegel fielen zur Erde.
Die brieten die Liebste und kochten den Mann:
Drechselten Würfel aus Tod und Seele:
Luden den Teufel ein, der seinen Schwanz verspielte,
Und zogen auf den Jahrmarkt.
Dort war ich in der Bude, die Frau legte mir Karten,
Der Mann redete mit seinem Bauch,
Aber dem siebenzehnjährigen Töchterchen Lockvogel
draußen
Schaute eine tote Seele aus den Augen;
Sodaß die entblößte, knospende Brust vor der Reife
Verwelkte.

Am Himmel steht ein Stern am Zaun,
Der hält die Wacht mit seinem Schein.
Da kann er beider Wege schaun,
Er sitzt auf flachem Meilenstein.

Der Zaun umsteht ein stilles Haus,
Durchs Fenster schwimmt ein Licht hervor.
Zwei Wege liegen gradeaus,
Der schwarze Hund schläft vor dem Tor.

Die Nacht liegt beider Wege stumm,
Die Sehnsucht wandert durch die Welt.
Der Stern geht um sein Haus herum,
Der schwarze Hund im Traume bellt.

Da kräht der rote Hahn im Traum,
Da krähn die Hähne überweg,
Da streicht der Wind im Lichterbaum,
Da weht ein Wetterleuchten schräg.

Der Traum, der schrak, schläft wieder ein;
Der Stern beschließt den Rundgang nun,
Er sitzt verschlafen auf dem Stein:
Die Nacht mußt unbehütet ruhn.

Die Sehnsucht geht auf dunklem Pfad: —
Die andre Sehnsucht gerne fänd.
Zwei Wege führen weit und grad:
Im Wächterhaus die Lampe brennt.

... Und leuchtet übern Zaun ein Stück,
Wo sich der Weg mit Wege trifft,
Im Graben hockt das greise Glück:
Und liest am Kreuz des Weisers Schrift.

Ein Weg führt rechts, führt links ein Weg,
Zwei Wege führen durch die Welt,
Und als der Tag kam übern Steg —
Ein toter Vogel lag im Feld.

Wenn du verlassen bist —
Das was dich grausen macht:
Deine Verlassenheit
Wird zum Gespenst.

Daß so nichts neben dir geht:
Geht auf unhörbarm Fuß
Immer und ungetrennt
Neben dir her.

Wo du auch gehst, ist nichts —
Daß deine Hand so greift:
Geht ganz undeutbar leis
Neben dir her.

Oh du erbebst und lebst
Doppelt und zahllos die Angst:
Nichts, nichts, und immer nichts geht
Neben dir her.

Wie du auch horchst, dein Ohr
Hört keinen Laut,
Der aber lispelt so grell:
„Hier bin ich nicht."

Hier ist nichts, hier, und hier,
Ohne Gefährt
Mußt du den langen Weg
Gehn, gehn, und gehn.

Mußt du verlassen gehn.
Tausend Gespenster
Fliehn vor dem Wehn, das leicht
Neben dir streicht.

Deine Verlassenheit
Streicht als ein weites Kleid
Mit seinem äußersten Saum
Über den Mond.

Deine Verlassenheit
(Tages- und Nachtgespenst)
Geht durch die Sterne noch
Neben dir her.

Amarylle

Oh stille Amarylle,
Du blühst, wenn Herbst schon leer.
Von Frucht- und Blütenfülle
Bliebst du mir und nichts mehr.

Ich trug dich in mein Zimmer,
Balkon war schon zu kalt.
Leucht Sommers letzten Schimmer
Du mir. Das Jahr ist alt.

Und alt ist auch mein Herz schon,
Und weiß ist schon mein Haar.
Sei du mein letzter Herbstlohn —
Stumm, traurig. Und was mir war

An Herzblühn und Geistfruchtzeit,
Ist abgewelkt, wurmtaub.
Auf Schmerz und Mühn und Sucht streut
Enttäuschung totes Laub.

Ach wenn auf meinem Grab nur
Die stille Flamme ständ!
Oh Amaryll, ich hab nur
Das Licht, das jenseits brennt.

Pastorale

Italien, große Wolken warten auf dem Meere,
Um dir zu Füßen, wildumblitzt, den Herbst zu legen.
Noch ist der Wind zu schwach für solche Regenschwere:
Doch plötzlich wird ein Guß durch heiße Schluchten fegen.

Die roten Häuser tragen goldne Welschkornpanzer.
Die Lauben gleichen blonden Sommerhorizonten.
Das abgemähte Berggelände ist ein ganzer
Damastteppich, auf dem sich bunte Bonzen sonnten.

Durch viele Täler zogen Regenprozessionen.
Im Golde zirpt es, und das Blau durchlechzen Unken,
Auf großen Wolken sieht man den Oktober thronen:
Wann schickt er seinen fürstlichen Entscheidungsfunken?

Man pflückt die blauen Trauben in der Laubenschwüle,
Schon füllen sich die schweren Körbe reifer Gänge,
An jedem Wasserfall berauscht sich eine Mühle:
Es hört der Bach der Wäscherinnen Liebessänge.

Man holt die blaue Eierfrucht aus brauner Erde.
Das heitre Feigenklauben geht voll Lust vonstatten,
Karuben stehen da mit schenkender Gebärde:
Die Lichter sind Opale, und es perlt der Schatten.

Nun steigen Wolkenherden aus den Felsenschluchten,
Auf hoher See erscheinen plötzlich Nebelschwäne,
Da ängstigt sich das zarte Blau in goldnen Buchten,
Und Silberwarnungen umglitzern still die Kähne.

Auf einmal hat der finstre Sturm emporgeleuchtet,
Der Wind verbohrt sich in den Dunst und schürt die Blitze:
Was kommt? Die Steine heben sich aus Schreck befeuchtet:
Zerflattert sind die lila Fahnen langer Hitze.

Die Feuerwolke darf Vulkane überragen;
Doch kann der Wind ihr jedes Blitzbündel entwinden:
Gewitterstirnen werden auf die Felsen schlagen:
Die See will schauerreich ein gutes Jahr entbinden.

Grünes Elysium

Die Pflanzen lehren uns der Heiden sanftes Sterben.
Die Leisen reichen ihre Hand, ein Blatt, herüber.
Wie kalt du bist! Du willst um meine Flamme werben?
Verhauch im Grün: auch meine Strahlen werden trüber!

Die Toten treffen sich in frommer Bienenstille.
Wie selig bleibt doch jeder Strauch, sich selbst beschieden.
Wie wartet da ein Blatt: — kein Hauch! kein Regungswille!
Und doch, — ein goldnes Kommen sammelt süßen Frieden.

Wie herrlich sterben Menschen hin in ihr Empfinden!
Die Seele mag an Märchenblätter sich ergeben.
Mit Taten müssen wir die Ahnungen umrinden,
Bis die Erfüllungsblüten sich verzückt erheben.

Wie einfach alle die Entfaltungen geschehen:
Ich sterbe, ja ich sterbe in mein nahes Wesen!
Wir weilen nicht, da wir bereits vorherbestehen.
Die Zuflucht ist in uns: die Zukunft nie gewesen!

Die Buche

Die Buche sagt: Mein Walten bleibt das Laub.
Ich bin kein Baum mit sprechenden Gedanken,
Mein Ausdruck wird ein Ästeüberranken,
Ich bin das Laub, die Krone überm Staub.

Dem warmen Aufruf mag ich rasch vertraun,
Ich fang im Frühling selig an zu reden,
Ich wende mich in schlichter Art an jeden.
Du staunst, denn ich beginne rostigbraun!

Mein Waldgehaben zeigt sich sonnenfroh.
Ich will, daß Nebel sich um Äste legen,
Ich mag das Naß, ich selber bin der Regen.
Die Hitze stirbt: ich grüne lichterloh!

Die Winterpflicht erfüll ich ernst und grau.
Doch schütt ich erst den Herbst aus meinem Wesen.
Er ist noch niemals ohne mich gewesen.
Da werd ich Teppich, sammetrote Au.

Die Fichte

Der Fichte nächtlich sanftes Tagbetragen
Belebt Geschickeswürde kühn im Wald.
Kein Zweiglein kann in ihrer Waltung zagen,
Die ganze Nacht gibt ihrem Atem Halt.

Es scheint ein Stern an jedem Ast zu hängen.
Des Himmels Steile wurde erst im Baum.
Wie unerklärt sich die Gestirne drängen!
Vor unserm Staunen wächst und grünt der Raum.

Ihr himmlisches Geheimnis bringt die Fichte
Den Blumen, unsern Augen fürstlich dar,
Ihr Sein erfüllte sich im Sternenlichte,
Sie weiß bei uns, daß Friede sie gebar.

Was soll der Weltenwind im Samtgeäste?
Die Fichte weicht zurück und spendet Rast.
Ein Baum, der alle Sterne an sich preßte,
Bleibt groß und segnet uns als guter Gast.

Regen

Die Sonne hat nur kurz das nasse Tal umschlungen,
Die Pappeln rauschen wieder, neckisch spielt der Wind.
Des Baches Schwermut hat gar lang allein geklungen,
Der Wind ist pfiffiger als ein vergnügtes Kind.

Die Wolken wollen kommen. Alles wurde rauher,
Die blassen Pappeln rascheln wie bei einem Guß.
Die nassen Weiden faßt ein kalter Schauer,
Gewaltig saust die Luft, beinahe wie ein Fluß.

Nun soll der Regen kommen! Und es gieße wieder!
Der Sturm ist kraftbegabtes Lautgebraus,
Der Regen bringt die Rhythmen heller Silberlieder,
Die Pappeln wissen das und schlottern schon voraus.

Dem nassen Tal entwallen kalte Atlashüllen,
Und auch die Nebelhauche tauchen raschelnd auf.
Der Wind beginnt die Flur mit Wispern zu erfüllen,
Die Pappeln biegen sich, das Grau nimmt seinen Lauf.

Späte Nacht

Die Weiden entleuchten dem mondholden Weiher,
Begehrliche Windwünsche silbern heran,
Verschmiegbare Äste durchfunkelt die Leier,
Denn hoch steht die Stunde, die taublau begann.

Der einzige Nachen beperlt sich mit Spitzen.
Es lenkt ihn ein Knabe mit blutgutem Mund.
Er muß wohl beim Rudern die Seiden zerschlitzen,
Doch lang graut sein Samtblick dem See auf den Grund.

Das Vogelgezwitscher kann lebhaft beginnen,
Die Leier wirft Munterkeitsfunken herab.
Die aufrechten Fische verkünden das Minnen,
Die Toten entsteigen mit ihnen dem Grab.

Das Siebengestirn wird den Atem bewachen.
Der heimliche Knabe kehrt seufzend nach Haus,
Die Schwermut der Sterne beruhigt ein Nachen,
Wer schlaflos war, stürzt durch ein Traumesgebraus.

Der Nachtwandler

Naht mir gar nichts auf den Spitzen,
Leise wie ein Geisterhauch?
Licht fällt durch die Mauerritzen,
Was du fühlst, ist grauer Rauch:
Jedes Ding kriegt Silberschlitzen,
Und es klingt und knistert auch.

Ja, jetzt wirst du fortgetragen!
Tür und Fenster gehen auf.
Bleiche Tiergespenster wagen
Gleich mit dir den Traumeslauf:
Glaubst du dich in einem Wagen,
Bauscht sich unter dir ein Knauf.

Auf der Kante des Verstandes,
Über, unter der Vernunft,
Fühlst du fernen Totenlandes
Wunderheilge Wiederkunft;
Deinen Gang am Daseinsrande
Schützen unerfaßte Bande.

Der Dreiviertelmond ging unter:
Oder spürst du nur kein Licht?
Doch! Ein Geisterchor wird munter,
Und du merkst ein Teichgesicht,
Das dir blauer, tümpelbunter,
Grün gar, ins Bewußtsein sticht.

Silbersilbig wird jetzt alles.
Hände kriegt so mancher Baum.
Des geringsten Eichelfalles
Wirkung grinst im Weltenraum:
Alles klingt zu eines Balles
Urversuchtem Rundungstraum.

Leise, denn geträumte Träume
Halten dich zu leicht im Raum.
Eben treten Schauersäume
Blau und panisch in den Traum:
Halte dich an deine Bäume:
Faß dich, denn du fühlst dich kaum!

Ja, dein Spuk wird torkeltrunken,
Und er splittert dich nun ab.
Tief in dich zurückgesunken
Wird dein Fliegenwollen schlapp,
Und du hälst dich kurz an Strunken . . .
Ja, mein Lager ist gar knapp!

Kalte Nacht

Der Schnee auf den Bergen ist kindlich und heilig.
Er scheint mir des Flutens verzücktes Erschaudern.
Die flüchtigen Vögel berühren ihn eilig;
Ihr Ruhen auf Schnee ist ein fiebriges Zaudern.

Es darf bloß der Mond solche Reinheit betasten.
Mit silbernen Launen verziert er die Hänge.
Dort oben, wo eisbehaucht Mondseelen rasten,
Besinnt sich die Nacht alter Totengesänge.

Ich nahe euch nicht, o verhaltene Geister!
Ich mag den Vernunftturm am Gletscherrand bauen.
Von dort können Traumkäuzchen angstloser, dreister
Hinab auf Gespensterverschwörungen schauen.

Sie fliegen zu Fichten in nebelnden Furchen,
Zu Tauhauchen, die in den Windecken frieren,
Ins Dickicht zu mondtollen Finsternislurchen:
Zu plötzlichen eisgrellen Schneerätseltieren.

(Strophe)

Die Grenze unsrer Welt, das unermeßne Schweigen
Ersetzt den Schatten neben uns in großer Nacht.
Es setzt sich hin zu dir, kann sich noch näher neigen,
Wann fühlst du seinen Hauch? Er ist zu leicht und sacht.
Auf einmal wissen wir: man kann noch tiefer steigen:
Erst unterm Schweigen ist der gute Mensch erwacht.
Du überläßt dich deiner Einsamkeiten Stufen,
Da wird dich niemand wecken oder tiefer rufen.

Wann das Leben dich tötet,
lausche meinem Gesang.
Ich komme auf dich zu aus einem dunklen Gang
und trage ein glänzend Herz in den Händen.
Du mußt dich nicht wegwenden:
Schaue mich an.

Alles ist hier.
Hier sind Berge, sind ziehende Wolken.
Viele Seen, weite Frucht-Ebenen.

Alles ist hier.
Wälder, Wald-Wiesen, liebliche Weiden.
Täler voller Vogelsang.

Und hier steht mein Zelt:
Bei einem kleinen Brunnen
rein erbaut aus Element:
Aus Äther, Meer, aus Licht;
aus Geist des Menschen.
Da wehen die Winde.
Veilchen und Tulpen beblühen seinen Strand.

Drinnen sitze ich nachts.
Dann ruht die Mond-Sichel
silbernfromm auf meiner Schulter.
Bei mir sitzt die himmlische Tänzerin.
Vollendet ist die Zeit in meinem Herzen.
Draußen ist der Gesang aller Sänger der Welt.

Hier ist ein Gipfel, um drauf einzuschlafen.
Hier streichen große Vögel dichtdrüberher,
die tragen in den langen Schnäbeln goldene Planeten.

Sie schwimmen langgestreckt im Luftstrom,
in ihren wilden Augen loht die Glut
der Sendung und des Ziels.
Wenn sie über Meer fliegen,
spiegelt in dem tiefen Wogen-Dunkel
ein machtvoll vorwärtsstrahlend Licht,
zwei Flammen jagen hinterher,
und ringsum schatten schwarze Fittiche.
Wenn im Nachtsturm ein Schiff dazwischensegelt,
ein hellerleuchtetes
zwischen diese Höhen und diese Tiefen:
Dann lehnt der Kapitän am Mast,
der Herrliche. Des Blick ist weltenstark
hinausgerichtet, und er ankert im Chaos.
Des Geist ist Ewiges. Und große Vögel
mit Glanz-Planeten in den Schnäbeln
über ihm und unter ihm,
sie sind ihm flüchtig hergewehte Bilder.
Aus dem Schiffraum schwebt herauf
alles überfunkelnd
der zechenden Matrosen
Welt-Triumph-Gesang.

Hier ist ein Gipfel, um Nachts drauf einzuschlafen.
Hierum wogt ewiger Triumphgesang.
Hier ruht der Schlafend-Träumende
auf der Spitze einer goldenen Pyramide.
Um die tiefen Flanken kreisen strahlend die Planeten
Ein leiser Höhenhauch weht einem über die Hände.

Hier ist ein Gipfel, um drauf einzuschlafen.
Hier hörst du Paukenschläge aus der Tiefe.
Hier zuckt der Geist um deine Lippen.
Es hebt deine Hand im Traum sich in den Äther
weltauf.

In der Nacht überschritt ich die Gebirgsscheide;
gelangte an einen See,
da der Mond rot untersank.
Am Ufer stehend,
schöpfend aus der stummen Flut:
hing mein Traumblick
an meiner trankgefüllten Hand.
Da sah ich wie im Spiegel Einen dastehn
am Rande eines ungeklärten Chaos;
dunkel Gewölk war vor seinem Antlitz,
die Hand hielt er hinausgestreckt,
drin ruhte alles uferlose Meer,
aus der Tiefe aufgeschöpft.
Und seltsam wars, daß Jener ganz mir glich,
unzertrennbar, ja schier eins mit mir.
Nur daß Er fernerher noch,
traumstärker noch
in seine trankgefüllte Hand starrte.

Es war zur Nacht, da ich ins Meerhorn stieß.
Es war zur Nacht, da ich zum Aufbruch blies.
Es war zur Nacht, da ich den Strand verließ.
Mein Boot lag in der Mondquelle.
Ich stand in vollendeter Helle.
Ich stand schlafähnlich starr auf silbernem Kies.

Ich lag. Und neben mir lag eine Liebende
am Strand des feuerüberglänzten Meeres,
die hielt umschlungen meine große Nacktheit.
Und neben uns stand die Erscheinung eines Mannes,
der war starr in Verwunderung versunken
über die Klippen, über die vielen Inseln;
auf seinem großgeöffneten Gesicht

brandete der rote Schein der Wogen.
Und ganz in Fernen zwischen wasserlosen Hügeln
lagerte ein Heer Bewaffneter;
dort spiegelte der rote Schein der Wogen
auf blanken Panzern,
auf grauen Augen.

Ich aber lag. Ich atmete die kühle Luft der Freiheit.
Ich war so frei wie das Lächeln meiner Lippe.
Ich war so frei wie das feuerüberglänzte Meer.

Als ich erwachte, atmete das Meer
und blickte in den Mond. Bei mir im Boot
saß hoch ein Schatten. Einen silbernen Helm
auf dem Haupt.
           — Ich griff nach ihm, ich griff
in leere Luft. Und meine Hand erschien
im Wasser nachgespiegelt, ganz in Silber.

Ich sprach: Du bist so kalt und klar,
es fließt dein Blut in Silberadern,
es schießt die Möwe frei durch deinen Leib,
du wohnst auf glattem Spiegel hier im Mondlicht.
Du willst und hoffest nicht. Du rührst dich nicht.

Er sprach: Du bist so grausig göttlich,
voll ringender Geburten, und ist dein Antlitz
zermalmt und ausgebrannt von Gier und Wahnsinn,
du wohnst in Abendlandschaft, überschüttet
von wüstem Traum-Gestein und großen Spinnen.
Du träumst und stürmst. Du lebst.

Und danach lehnte sich der Schatten zärtlich
an meine Brust. Ich fühlte kühl am Haupt
den Silberhelm.

In Booten liegend. Und die Boote schwankten
und stießen mit den Kielen aneinander.
Die Ruder schlappten im Nacht-Wasser.
Und unsre Häupter lagen auf dem Bord,
groß, wild, und einsam,
und Augen glänzten überm gurgelnden Wasser.
Und manche schliefen nach so langer Meerfahrt,
nach so viel glanzgestirnten Nächten,
jetzt nahe einer unbekannten Küste.
Wir aber, wir, wir Tiefsten, Schlummerlosen,
wir blickten in der Richtung einer Stadt,
die prachtvoll nackt am Strande sich erhob
mit Türmen und Palästen, hellerleuchtet,
mit wandelndem Volk auf weiten Marmorplätzen.
Die mir gefolgt durch die Gedanken-Meere,
und ich, ihr träumender Dämon:
Wir schauten glühend und begehrlich lüstern
hinüber in das greifbar nahe Land der Menschen.

Auf der Meer-Terrasse meines Hauses sitzend
bin ich ein Sänger im Gebraus von Wogen,
der malt auf die gespannte Leinwand,
was in der frühen Seele ruht und altert.
Und hinter mir entbrennt das ganze Haus,
es strahlt im Feuerschein, lebendig Wesen
hinter der Glastüre,
seiner Augen Glut liegt auf mir,
es blickt mir über die Schulter in das Bild,
es spielt mit meinen weißen dünnen Haaren.
Es singt so leise.
Bis ich gluttrunken
ins Brennende hineineile —

Ich wandle durch den Saal, ich bin ein Feuer
in dunklem Mantel,
ich habe goldene Flügel,
habe letzte Wolken um die Stirn.
Ich bin die Heimat
und singe leise,
meine Hände legen sich göttlich auf die Flammen,
ich lösche aus, ich lösche alles aus.

Einen Strauß wildfunkelnder Blumen
streckt eine Geist-Hand
über mein verhülltes Haupt.
Ich sitze im Nachtschatten
einer Riesenmauer.
Tief, an meine Füße, wogt das Meer.
Milliarden goldener Fische
drehen sich drin im Tanz.
Es glänzt bis ganz hinaus,
ganz hinaus in die Nacht.
— Und flüstert.

Oben, über mir
auf endloser Mauerhöhe,
beginnt eine Posaune zu blasen.
Sie quillt ganz auf.
Drin in den Tonwogen
steht Einer.
Was Der ist, bin Ich auch.
Doch bin ich nicht so hoch oben.

Er ist so hoch oben.
Wenn ich hinaufzudenken versuche,
schrumpft das goldglitzernde Meer zum Teich.
Ich will nur Eines noch:
Ihm ins Antlitz schauen.

Ich glaube, Er denkt immer an mich.
Oben über mir
denkt er immer an mich.
Er ist so hoch oben,
daß er nicht mehr schaffen kann.
Er denkt immer, immer
an meiner Hände schöpferische Macht.

Im Nachtschatten der Mauer
betracht ich meine Hände.
Mond und Sterne eilen jubelnd herbei
und leuchten dazu.
Mein Herz braust in strahlender Seligkeit,
da ich meine Hände erblicke.

,, — Denn nur Melancholie, dämonisch denkende,
kann dich befreien" —
So sprach zu mir der schwarze Geier,
der ernst und träumend saß auf meinen Lager
an einem Abend, da ich heimkehrend
auf der Mondlichtwiese
die schimmernde Decke meines Zeltes aufhob.

,,Dämonisch denkende" — ich sprach es leise
dem Vogel nach, und ließ den Vorhang fallen.
Wohl lebte ich viele Jahre dem Gedanken.
Ich sah ihn oft in urweltlicher Schönheit
als glühenden Feuerball herschwebend zu meinem Haupte,
wann ich ins hohe Gras mich niederbückte,
wann ich die farbenwilden Blumen pflückte
vor meinem Zelte auf der Mondlichtwiese.
Ich war sein Dämon; doch er nicht der meine.
Ich habe ihn verführt, genossen, und zerstört.

Dämon:

Ich stürzte über die Kaiser-Krone von Assyrien,
wandelnd durch die Nacht-Wüsten
zu meiner Freundin: zu Astarte.
Im Sternlicht saß
ein Klagender unter einem Feigenbaum.

Ich sprach: Wenn du es willst,
sprech ich den Zauber über die Krone.
Aus dem Staub heb ich sie auf,
und neu erblüht das Reich Assyrien.

Er sprach: Ich klage nicht
über den Untergang des Reiches.
Ich klage, daß es einmal war,
und drum ewig sein wird.
Ich klage über alles Seiende.

Da lud ich ihn ein, mich zu begleiten
zu meiner Freundin: zu Astarte,
die mächtig ist im Nie-Gewesenen.
Doch da verstummt er und erblaßt.

Es winkt zu Fühlung fast aus allen Dingen,
aus jeder Wendung weht es her: Gedenk!
Ein Tag, an dem wir fremd vorübergingen,
entschließt im künftigen sich zum Geschenk.

Wer rechnet unseren Ertrag? Wer trennt
uns von den alten, den vergangnen Jahren?
Was haben wir seit Anbeginn erfahren,
als daß sich eins im anderen erkennt?

Als daß an uns Gleichgültiges erwarmt?
O Haus, o Wiesenhang, o Abendlicht,
auf einmal bringst du's beinah zum Gesicht
und stehst an uns, umarmend und umarmt.

Durch alle Wesen reicht der *eine* Raum:
Weltinnenraum. Die Vögel fliegen still
durch uns hindurch. O, der ich wachsen will,
ich seh hinaus, und *in* mir wächst der Baum.

Ich sorge mich, und in mir steht das Haus.
Ich hüte mich, und in mir ist die Hut.
Geliebter, der ich wurde: an mir ruht
der schönen Schöpfung Bild und weint sich aus.

Herbsttag

Herr: es ist Zeit. Der Sommer war sehr groß.
Leg deinen Schatten auf die Sonnenuhren,
und auf den Fluren laß die Winde los.

Befiehl den letzten Früchten voll zu sein;
gib ihnen noch zwei südlichere Tage,
dränge sie zur Vollendung hin und jage
die letzte Süße in den schweren Wein.

Wer jetzt kein Haus hat, baut sich keines mehr.
Wer jetzt allein ist, wird es lange bleiben,
wird wachen, lesen, lange Briefe schreiben
und wird in den Alleen hin und her
unruhig wandern, wenn die Blätter treiben.

Abschied

Wie hab ich das gefühlt, was Abschied heißt.
Wie weiß ichs noch: ein dunkles unverwundnes
grausames Etwas, das ein Schönverbundnes
noch einmal zeigt und hinhält und zerreißt.

Wie war ich ohne Wehr, dem zuzuschauen,
das, da es mich, mich rufend, gehen ließ,
zurückblieb, so als wärens alle Frauen
und dennoch klein und weiß und nichts als dies:

Ein Winken, schon nicht mehr auf mich bezogen,
ein leise Weiterwinkendes —, schon kaum
erklärbar mehr: vielleicht ein Pflaumenbaum,
von dem ein Kuckuck hastig abgeflogen.

Die Insel · Nordsee · I

Die nächste Flut verwischt den Weg im Watt,
und alles wird auf allen Seiten gleich;
die kleine Insel draußen aber hat
die Augen zu; verwirrend kreist der Deich

um ihre Wohner, die in einen Schlaf
geboren werden, drin sie viele Welten
verwechseln schweigend; denn sie reden selten,
und jeder Satz ist wie ein Epitaph

für etwas Angeschwemmtes, Unbekanntes,
das unerklärt zu ihnen kommt und bleibt.
Und so ist alles, was ihr Blick beschreibt,

von Kindheit an: nicht auf sie Angewandtes,
zu Großes, Rücksichtsloses, Hergesandtes,
das ihre Einsamkeit noch übertreibt.

II

Als läge er in einem Kraterkreise
auf einem Mond: ist jeder Hof umdämmt,
und drin die Gärten sind auf gleiche Weise
gekleidet und wie Waisen gleich gekämmt

von jenem Sturm, der sie so rauh erzieht
und tagelang sie bange macht mit Toden.
Dann sitzt man in den Häusern drin und sieht
in schiefen Spiegeln, was auf den Kommoden

Seltsames steht. Und einer von den Söhnen
tritt abends vor die Tür und zieht ein Tönen
aus der Harmonika wie Weinen weich;

so hörte ers in einem fremden Hafen —.
Und draußen formt sich eines von den Schafen
ganz groß, fast drohend, auf dem Außendeich.

III

Nah ist nur Innres; alles andre fern.
Und dieses Innere gedrängt und täglich
mit allem überfüllt und ganz unsäglich.
Die Insel ist wie ein zu kleiner Stern,

welchen der Raum nicht merkt und stumm zerstört
in seinem unbewußten Furchtbarsein,
so daß er, unerhellt und überhört,
allein,

damit dies alles doch ein Ende nehme,
dunkel auf einer selbsterfundnen Bahn
versucht zu gehen, blindlings, nicht im Plan
der Wandelsterne, Sonnen und Systeme.

Das Karussell · (Jardin du Luxembourg)

Mit einem Dach und seinem Schatten dreht
sich eine kleine Weile der Bestand
von bunten Pferden, alle aus dem Land,
das lange zögert, eh es untergeht.
Zwar manche sind an Wagen angespannt,
doch alle haben Mut in ihren Mienen;
ein böser roter Löwe geht mit ihnen
und dann und wann ein weißer Elefant.

Sogar ein Hirsch ist da ganz wie im Wald,
nur daß er einen Sattel trägt und drüber
ein kleines blaues Mädchen aufgeschnallt.

Und auf dem Löwen reitet weiß ein Junge
und hält sich mit der kleinen heißen Hand,
dieweil der Löwe Zähne zeigt und Zunge.

Und dann und wann ein weißer Elefant.

Und auf den Pferden kommen sie vorüber,
auch Mädchen, helle, diesem Pferdesprunge
fast schon entwachsen; mitten in dem Schwunge
schauen sie auf, irgendwohin, herüber —

Und dann und wann ein weißer Elefant.

Und das geht hin und eilt sich, daß es endet,
und kreist und dreht sich nur und hat kein Ziel.
Ein Rot, ein Grün, ein Grau vorbeigesendet,
ein kleines, kaum begonnenes Profil —.
Und manchesmal ein Lächeln, hergewendet,
ein seliges, das blendet und verschwendet
an dieses atemlose blinde Spiel . . .

Spätherbst in Venedig

Nun treibt die Stadt schon nicht mehr wie ein Köder,
der alle aufgetauchten Tage fängt.
Die gläsernen Paläste klingen spröder
an deinen Blick. Und aus den Gärten hängt

der Sommer wie ein Haufen Marionetten
kopfüber, müde, umgebracht.
Aber vom Grund aus alten Waldskeletten
steigt Willen auf, als sollte über Nacht

der General des Meeres die Galeeren
verdoppeln in dem wachen Arsenal,
um schon die nächste Morgenluft zu teeren

mit einer Flotte, welche ruderschlagend
sich drängt und jäh, mit allen Flaggen tagend,
den großen Wind hat, strahlend und fatal.

Der Goldschmied

Warte! Langsam! droh ich jedem Ringe
und vertröste jedes Kettenglied:
später, draußen, kommt das, was geschieht.
Dinge, sag ich, Dinge, Dinge, Dinge!

wenn ich schmiede; vor dem Schmied
hat noch keines irgendwas zu sein
oder ein Geschick auf sich zu laden.
Hier sind alle gleich, von Gottes Gnaden:
ich, das Gold, das Feuer und der Stein.

Ruhig, ruhig, ruf nicht so, Rubin!
Diese Perle leidet, und es fluten
Wassertiefen im Aquamarin.
Dieser Umgang mit euch Ausgeruhten
ist ein Schrecken: alle wacht ihr auf!
Wollt ihr Bläue blitzen? Wollt ihr bluten?
Ungeheuer funkelt mir der Hauf.

Und das Gold, es scheint mit mir verständigt;
in der Flamme hab ich es gebändigt,
aber reizen muß ichs um den Stein.
Und auf einmal, um den Stein zu fassen,
schlägt das Raubding mit metallnem Hassen
seine Krallen in mich selber ein.

Der Tod Moses

Keiner, der finstere nur gefallene Engel
wollte; nahm Waffen, trat tödlich
den Geboterren an. Aber schon wieder
klirrte er hin rückwärts, aufwärts,
schrie in die Himmel: Ich kann nicht!

Denn, gelassen durch die dickichte Braue
hatte ihn Moses gewahrt und weitergeschrieben:
Worte des Segens und den unendlichen Namen.
Und sein Auge war rein bis zum Grunde der Kräfte.

Also der Herr, mitreißend die Hälfte der Himmel,
drang herab und bettete selber den Berg auf.
Legte den Alten. Aus der geordneten Wohnung
rief er die Seele, die, auf! und erzählte
vieles Gemeinsame, eine unzählige Freundschaft.

Aber am Ende wars ihr genug. Daß es genug sei,
gab die vollendete zu. Da beugte der alte
Gott zu dem Alten langsam sein altes
Antlitz. Nahm ihn im Kusse aus ihm
in sein Alter, das ältere. Und mit Händen der Schöpfung
grub er den Berg zu. Daß es nur einer,
ein wiedergeschaffener, sei unter den Bergen der Erde,
Menschen nicht kenntlich.

Hinter den schuld-losen Bäumen
langsam bildet die alte Verhängnis
ihr stummes Gesicht aus.
Falten ziehen dorthin . . .
Was ein Vogel hier aufkreischt,
springt dort als Weh-Zug
ab an dem harten Wahrsagermund.

O und die bald Liebenden
lächeln sich an, noch abschiedslos,
unter und auf über ihnen geht
sternbildhaft ihr Schicksal,
nächtig begeistert.
Noch zu erleben nicht reicht es sich ihnen,
noch wohnt es
schwebend im himmlischen Gang,
eine leichte Figur.

Eros

Masken! Masken! Daß man Eros blende.
Wer erträgt sein strahlendes Gesicht,
wenn er wie die Sommersonnenwende
frühlingliches Vorspiel unterbricht.

Wie es unversehens im Geplauder
anders wird und ernsthaft . . . Etwas schrie . . .
Und er wirft den namenlosen Schauder
wie ein Tempelinnres über sie.

O verloren, plötzlich, o verloren!
Göttliche umarmen schnell.
Leben wand sich, Schicksal ward geboren.
Und im Innern weint ein Quell.

Perlen entrollen. Weh, riß eine der Schnüre?
Aber was hülf es, reih ich sie wieder: du fehlst mir,
starke Schließe, die sie verhielte, Geliebte.

War es nicht Zeit? Wie der Vormorgen den Aufgang,
wart ich dich an, blaß von geleisteter Nacht;
wie ein volles Theater, bild ich ein großes Gesicht,
daß deines hohen mittleren Auftritts
nichts mir entginge. O wie ein Golf hofft ins Offne
und vom gestreckten Leuchtturm
scheinende Räume wirft; wie ein Flußbett der Wüste,
daß es vom reinen Gebirg bestürze, noch himmlisch,
                                        der Regen, —
wie der Gefangne, aufrecht, die Antwort des einen
Sternes ersehnt, herein in sein schuldloses Fenster;
wie einer die warmen
Krücken sich wegreißt, daß man sie hin an den Altar
hänge, und daliegt und ohne Wunder nicht aufkann:
siehe, so wälz ich, wenn du nicht kommst, mich zu Ende.

Dich nur begehr ich. Muß nicht die Spalte im Pflaster,
wenn sie, armselig, Grasdrang verspürt: muß sie den ganzen
Frühling nicht wollen? Siehe, den Frühling der Erde.
Braucht nicht der Mond, damit sich sein Abbild im Dorfteich
fände, des fremden Gestirns große Erscheinung? Wie kann
das geringste geschehn, wenn nicht die Fülle der Zukunft,
alle vollzählige Zeit, sich uns entgegenbewegt?

Bist du nicht endlich in ihr, Unsägliche? Noch eine Weile,
und ich besteh dich nicht mehr. Ich altere oder dahin
bin ich von Kindern verdrängt...

Tränen, Tränen, die aus mir brechen.
Mein Tod, Mohr, Träger
meines Herzens, halte mich schräger,
daß sie abfließen. Ich will sprechen.

Schwarzer riesiger Herzhalter.
Wenn ich auch spräche,
glaubst du denn, daß das Schweigen bräche?
Wiege mich, Alter.

Nike

Solang du Selbstgeworfnes fängst, ist alles
Geschicklichkeit und läßlicher Gewinn—;
erst wenn du plötzlich Fänger wirst des Balles
den eine ewige Mitspielerin
dir zuwarf, deiner Mitte, in genau
gekonntem Schwung, in einem jener Bögen
aus Gottes großem Brückenbau:
erst dann ist Fangenkönnen ein Vermögen, —
nicht deines, einer Welt. Und wenn du gar
zurückzuwerfen Kraft und Mut besäßest,
nein, wunderbarer: Mut und Kraft vergäßest

und schon geworfen *hättest*, . . . wie das Jahr
die Vögel wirft, die Wandervogelschwärme,
die eine ältre einer jungen Wärme
herüberschleudert über Meere —, erst
in diesem Wagnis spielst du gültig mit.
Erleichterst dir den Wurf nicht mehr; erschwerst
dir ihn nicht mehr. Aus deinen Händen tritt
das Meteor und rast in seine Räume . . .

Vorfrühling

Härte schwand. Auf einmal legt sich Schonung
an der Wiesen aufgedecktes Grau.
Kleine Wasser ändern die Betonung.
Zärtlichkeiten, ungenau,

greifen nach der Erde aus dem Raum.
Wege gehen weit ins Land und zeigens.
Unvermutet siehst du seines Steigens
Ausdruck in dem leeren Baum.

An der sonngewohnten Straße, in dem
hohlen halben Baumstamm, der seit lange
Trog ward, eine Oberfläche Wasser
in sich leis erneuernd, still' ich meinen
Durst: des Wassers Heiterkeit und Herkunft
in mich nehmend durch die Handgelenke.
Trinken schiene mir zu viel, zu deutlich;
aber diese wartende Gebärde
holt mir helles Wasser ins Bewußtsein.

Also, kämst du, braucht ich, mich zu stillen,
nur ein leichtes Anruhn meiner Hände,
sei's an deiner Schulter junge Rundung,
sei es an den Andrang deiner Brüste.

Sei allem Abschied voran, als wäre er hinter
dir, wie der Winter, der eben geht.
Denn unter Wintern ist einer so endlos Winter,
daß, überwinternd, dein Herz überhaupt übersteht.

Sei immer tot in Eurydike —, singender steige,
preisender steige zurück in den reinen Bezug.
Hier, unter Schwindenden, sei, im Reiche der Neige,
sei ein klingendes Glas, das sich im Klang schon zerschlug.

Sei — und wisse zugleich des Nicht-Seins Bedingung,
den unendlichen Grund deiner innigen Schwingung,
daß du sie völlig vollziehst dieses einzige Mal.

Zu dem gebrauchten sowohl, wie zum dumpfen und stummen
Vorrat der vollen Natur, den unsäglichen Summen,
zähle dich jubelnd hinzu und vernichte die Zahl.

Stiller Freund der vielen Fernen, fühle,
wie dein Atem noch den Raum vermehrt.
Im Gebälk der finstern Glockenstühle
laß dich läuten. Das, was an dir zehrt,

wird ein Starkes über dieser Nahrung.
Geh in der Verwandlung aus und ein.
Was ist deine leidendste Erfahrung?
Ist dir Trinken bitter, werde Wein.

Sei in dieser Nacht aus Übermaß
Zauberkraft am Kreuzweg deiner Sinne,
ihrer seltsamen Begegnung Sinn.

Und wenn dich das Irdische vergaß,
zu der stillen Erde sag: Ich rinne.
Zu dem raschen Wasser sprich: Ich bin.

Letzte Verse · *(Val-Mont, Dezember 1926)*

Komm du, du letzter, den ich anerkenne,
heilloser Schmerz im leiblichen Geweb:
wie ich im Geiste brannte, sieh, ich brenne
in dir; das Holz hat lange widerstrebt,
der Flamme, die du loderst, zuzustimmen,
nun aber nähr' ich dich und brenn in dir.
Mein hiesig Mildsein wird in deinem Grimmen
ein Grimm der Hölle nicht von hier.
Ganz rein, ganz planlos frei von Zukunft stieg
ich auf des Leidens wirren Scheiterhaufen,
so sicher nirgend Künftiges zu kaufen
um dieses Herz, darin der Vorrat schwieg.
Bin ich es noch, der da unkenntlich brennt?
Erinnerungen reiß ich nicht herein.
O Leben, Leben: Draußensein.
Und ich in Lohe. Niemand der mich kennt . . . . .

Vorwort

Was im einzelnen gefügt
Wort ist und nicht mehr kann rücken,
daß es nicht im ganzen trügt,
geh du fort auf Traumes Stücken —

nein, der Sinn versinkt wie Traum
in dem auferwachten Tage,
und du suchst im ganzen Raum
endlos deine eigne Sage.

Gebet auf dem Wasser

Scharf wie die Schwalbe überm Wasser,
die Möwe stark im Himmelszelt,
ein Pfeil im Fluge, niemals lasser
laß mich durcheilen, Herr, die Welt.

Die Nahrung, die er hascht im Fluge,
der Vogel, die ihn vorwärts reißt,
die sich vergönnt uns im Verzuge,
die Speise sei dein heilger Geist.

Laß mir nicht Zeit, wie Mücklein spielen,
daraus dem Vogel Beute wird,
ich selber Beute, willst du zielen,
und Pfeil sei, der nach Beute schwirrt.

Und schneller, daß kein Wort ich finde
im Wind von deinem Angesicht,
es leuchtet noch, eh ich erblinde,
dein Abendrot im Augenlicht.

Erhoben wartet das Gestade,
Eindringling öffnet sich die Ruh,
halt ein, Herr, wer verfällt der Gnade,
dein Steg eilt jählings auf mich zu.

Schon hebt sich die durchzogne Welle,
die Furche teilt und wiegt sich glatt,
und über die bewegte Schwelle
fahr ich in deine heilge Stadt.

Verkündigung

Als Maria, da der Engel ihr
Jungfrauengemach verlassen, schier,
wie die Flut ihr Herz hinuntertrank,
hinverlöschend durch des Weinens Gier
auf das Kissen, wo sie kniete, sank,

da, noch eh der Tau vom Auge brach,
sah sie, daß vorm Fenster — ihr Gemach
wurde hell davon — ein Baum im Reif
stand, wie knospet Gold durch Wasser, sprach
sie, die weiße Flamme. — Herz begreif!

Maria im Dorn

Was sitzest du und sinnest nur,
Maria lind?
Ich trage, dem ich bin die Spur,
dies eine Kind
in meines Leibes Wiege,
die Spur, daran ich Monde wachsend trage,
in der ich mich erliege,
fährt über mich wie laute Frage:

warum ich so empfänglich bin
und sinnenwund,
die linde Luft bereift mich in
der Lippe Grund
und flammt mir in die Kehle,

ich bin gezweigt in meines Hauches Nöte
und trinke in der Seele,
davon entblüht mir Rosenröte.

Es treibt mich unter Menschen groß
ein Ungestüm,
daß ich so tief in meinem Schoß
gefangen bin,
und schließt mich in die Kammer,
es ist der Judas, eh mein Kind entglommen,
mit seiner Menschenklammer,
mit allen Kindern schon gekommen.

So spielt in mir das nimmersatt
wie Herbsteswind,
das nur ein Hauch beseligt hat,
dies eine Kind
und sammelt meine Hauche,
die Blüte, die ich dornenvoll ertrage,
daran ich mich verbrauche,
beknospet mich mit bittrer Klage.

Aktäon

Wer so mit Schallen bläst,
es sinkt das Glück
des Jagens nicht ins Herz zurück,
ein Odem, der an Wälder stößt
und wiederkehrt und unerlöst
gebiert es Stück für Stück.

Jungfrau zu dir gesinnt,
die sein Verlies
mit Macht aufbrach und ihn verstieß,
die Hindin ist allzu geschwind,
es braust, die Seele hebt ein Wind,
er will doch nichts als dies:

Die Eile nicht, die Flucht,
die Beute nicht,
nichts als wie ihn dein Angesicht
gleich einem Blitz in dunkler Schlucht
in seines Sturzes kranker Wucht
verwurzelt und verflicht.

Der Horcher, wann es lockt,
von wannen tief
das Echo, das zu kommen rief,
das, wenn des Jagens Fuß ihm stockt,
Ruf immer weiter klingt und lockt,
der niemals wieder schlief,

er wendet, wendet nicht
vor reiner Qual
ihm ausgetan im Erdensaal,
wer bricht dies eingeborne Licht,
es trägt den Schall an Wälder dicht
der Jäger ohne Wahl.

Nun sieht er, wie es kreist
im vollen Rund,
als sei mit reinem Glockenmund
sein Herz und sein Verlies gespeist,
mit Macht, die ihn von dannen reißt
zum unlösbaren Bund.

Noch horcht er auf den Ton,
noch steht er still,
ein Baum, der sich entschälen will,
ein Hirsch umringt von Wassers Drohn,
in einem Blitz ein kaltes Lohn,
ein Halten und kein Ziel.

Der Meute ist er frei,
der jetzt verzagt,
der seinen Blick zum Grund gewagt,
er ist im reinen Ton entzwei,
er trägt den Blitz wie ein Geweih,
nun wird er selbst gejagt.

Das neue Bild

Alle meine Worte sind
wie das Wasser um ein Kind
dunkel, weil die bange Frucht
nicht aus mir zum Lichte sucht.

Manchmal ohne Fürchten zwar
trächtig, wessen ich befahr,
seh ich, fühl ich unbekannt
harren hinter meiner Wand

wen und wessen Kraft gemäß
diesen, der nun das Gefäß
schlagend in der Seele wühlt,
wenn er mit dem Wasser spielt.

Diese Zeit kommt wieder her,
wo im grundverlornen Meer
untergeht die wartend nur
unbewegliche Figur.

Ach das reine Ebenbild
trägt noch Züge nachtverhüllt,
ist zu groß und ungewußt
nur ein dunkler Drang der Brust.

Warte, denn es eilt dem Herrn
nicht zu seinem kleinen Kern,
Meere braucht er, der verschont,
wo er bis zum Aufbruch wohnt,

bis die Seele klein genug
tragen kann den lichten Zug,
bis das nackte Kind bewegt
froh im Wännlein Wasser schlägt.

Wer und wessen Kraft gemäß
schlägt die Welle ans Gefäß, —
wachse Seele ohne Pfad,
Meer in Meer und Bild in Bad.

Der Wolf

Zu dem nachtstill klaren Licht
blickend, das die Tischgeräte
meines kleinen Heims umglänzt
und, vom weißen Tuch begrenzt,
ruht im Kreise heilig schlicht,
bin, der ich im Dunkeln trete,
bin ich wie ein Ausgestoßner.

Ringend mit dem finstern Kern,
den ich nie in Worte fassen
kann und trag ohn Unterlaß,
welkend in mein Fleisch wie Gras,
immer dichter, weiter fern,
Nacht ich, um die Nacht zu fassen,
irr ich fort im Wesenlosen.

Wolf mit ungelöschter Gier,
selbst das eigne Herz zu fressen,
hungert durch die Wüste hin.
Sicher, eine Löwin kühn,
wohnt die stille Liebe hier;
Liebe still und selbstvergessen
siedelt unter meinem Dache.

Morgen-Leis

Nach einer schlaflos langen Nacht
den Sinn dumpf, müd und überwacht
weckt quirlend eine Vogelstimme,
das klingt so rein im frühen Schein,
und über jedem dunklen Grimme
schläft Unrast ein und Eigenpein.

Da irgendwo, wo ich nicht weiß,
singt nun das Kehlchen wirbelleis
und steht auf seinen zarten Füßen,
es ringt sein Mund, ihm selbst nicht kund,
als müsse doppelt es begrüßen
zu dieser Stund den Erdenrund.

Mein Sinn und mein Gedankenspiel
sucht neu erquickt das alte Ziel:
so will ich meine Seele schreiben,
so rein und nicht verdrossner Pflicht,
daß nirgendwo die Füße bleiben,
daß mein Gesicht vergeht im Licht.

Schneeglöckchen

Ist die frühe Bläue
wieder aufgeschlossen
meines Himmels, doch die
Trübe umgegossen
meinem Herzen streue
ich wie Sämerei ins Dickicht hie.

Zwischen kaltem Splinte,
lagerdürrem Laube,
ach, vergeblich angelt

noch die blasse Traube,
ach die bitterblinde
Himmelsfrucht verlockend in mein Zelt.

Einer Stirne Schatten,
so mich denkt, das bin und
atm ich, weiß ein Schein bloß,
Kelch und seinen Ingrund
will kein Hauch begatten,
wie die kleine Glocke regungslos.

Kaum die zarte Keule
aufgeschossen, tauchen
muß das Herz, das Licht fing,
und das Lauschen, Brauchen
reiner Lebensweile
wird wie ungebrauchte Milch gering.

Eines Atems Schwere
geht, ein Fluß vorüber,
und schon dunkelt bald es,
alles hüllt sich trüber,
doch an Fluß und Meere
zeigt die Danaide ihr Gefäß.

Der Sämann

Was tu ich, sprach der Sämann, der
mit Schritten lang den Acker trat,
das Tuch geknotet schulterquer,
den linken Arm in weiße Wat
gleich einem tauben Stumpf gehüllt,
da er dem Herzen nah die Hand mit Körnern füllt.

Nun streut er Körner bogenhin,
nun seines Wegs geradefort,
mit Schritten stark, als trage ihn

die Hüfte leicht, doch leicht verdorrt,
zur Erde wechselnd eingeknickt,
nun spricht er, während er die Hand des Weges schickt:

Was tu ich, der von diesem Feld
mit Armen leer und müde bald
hinabgeht, der das Korn bestellt,
in Halmen wird die Saat Gestalt
und steht dann hier in Ähren schwer
so andern Wuchses, als der geht darüber her,

der wie gefesselt Hand und Fuß,
und wie er Arm und Kniee schwingt,
sich wie zum Streit verteilen muß
und leichter wird und schwerer ringt,
der fortgetrieben alle Zeit
den Bann zerbricht und härter wird im harten Streit.

Und wie er fort zum Ende rückt,
mit leichter Wat, doch schwerem Mut,
den Kopf nun aus der Schlinge bückt,
er weiß nicht, was so leicht ihm tut,
sieht er am Baum den harten Ast,
den eingeknickten Stumpf gehüllt in Blüten fast.

Sommerschwere

Durch den heißen Erntemorgen
wie ein Schnitter hingetrieben,
ganz im Heitern mußt du lieben
dunklen Blitzes Kraft verborgen.

Wirds, als ob die Lüfte wetzen
sich gleich Sensen und erstillen
alle Vögel, stummen Willen
mußt du wie Gewölke setzen.

Dann am Himmel mittags trinken
Schäfchen, und dich wills erheitern,
einem Hirten gleich, doch weitern
Weg gehst du mit fremdem Blinken.

Kommt die Wolke, kommt erlesen
Blitz in Wettern fort mit Rollen,
stehst du zwischen Mahden, vollen,
ein fast brandig wirklich Wesen.

Heimatlied

Als ich um die trunknen Hänge
trat zur Nacht ins breite Tal,
pfiff vom Wald ein ungesellter
Nachbar mit dem Fuhrmannsbart.

So vorm letzten Strahl zum Trotze
blies er wandernd, daß es schlug
mir ins Netz des Blutes Bronnen,
hing Gespinst um meinen Hut,

daß ich mit des Baumes Ächzen
sprach, der sich gefesselt rührt:
glücklich mit dem harten Herzen,
glücklicher, wen Liebe schnürt!

Lichter, als die Sonne rollte
nieder, wie aus Frost Geburt,
gärend von dem jungen Moste
zog die Liebe durch die Brust.

Und noch sternklar unterm Dache,
gleichsam daß es offen war,
scholl, daß ich vom Traum erwachte,
abgebrochner Vielgesang.

Vor dem Winter

Kein Himmel in der Frühe,
nach halben Schritten wird es still,
und wie das Blatt vom Baume fiel,
verzuckt ein Lichtlein ohne Will',
grämt sich und hat nicht Mühe.

Es will der Tag nicht raten.
Als löste sich von unserm Mund
das Blatt, so sind die Worte wund.
Im Nebel rinnen Stund um Stund,
verrinnen unsre Taten.

Allein in letzter Höhe
steht noch ein Blatt und zittert bald
und wird im Sterben voll Gestalt;
ein Wind als wie ein Messer kalt
nimmt auch das letzte Blatt.

Mann aus Erde

Dem alles nur im Geist geschah,
du meinst, die Grenze sei so nah,
dein armes Sein in Gottes Licht zu zücken,
du unlösbarer Zeitvertreib,
du mußt, o unverklärter Leib,
den Stein erst überm Grabe rücken.

Nun überfällt die Seelenangst
dich wieder, daß du stockst und bangst,
zurückwillst zu der Markverwesung Schmerzen,
Verjüngter du in dem Gericht
des Wortes, werde Fleisch, dann bricht
die Ader ein zum ewgen Herzen.

Eines Morgens Schnee

Was man gelebt, was immer mehr geblieben,
stets mehr gelesen, um so dunkler nur,
was man im Lichte schon wie aufgeschrieben
vorfand und ging auf unstörbarer Spur,
was man mit Sinn erreicht, was man mit Lieben
doch nie vollbringen konnte, — deine Flur
wird dir, du Mensch von Ernte niemals satt,
mit eines Morgens Schnee ein reinstes Blatt.

Es ist kein Trost; und nun der Sonne Scheinen
teilt alles nur noch weiter vor dir aus,
so spurlos steht die Zeit, du willst sie einen
gleich einer Träne dort am letzten Strauß,
du horchst auf einen Laut, nun hörst du keinen,
der Schnee macht nur ein regungsloses Haus, —
geh fort, und wie es dir im Busen klopft,
fühlst du den Schnee, der kalt vom Baume tropft.

Du fühlst nicht Nähe mehr, nur noch dies Pochen,
das dir die kalte Wange seltsam näßt,
das Land scheint dir so weit und ganz zerbrochen,
die weißen Berge gleich dem schweren Rest
von einem Himmel, den du nie besprochen,
und der, je mehr du sprichst, dich werden läßt
gleich einer Spur, die sich aus ihm verlor,
und die du kennst, wenn dir im Herzen fror.

So geh nun fort, und was umsonst bestritten
du Tag und Nacht, was schon im Licht verdorrt,
was du gelebt, was du dir selbst inmitten
gelöst, du Mensch, im stets zerbrochnen Wort,
auf dunkler Spur mit unhörbaren Schritten
gewinnt die Zeit ihr Licht, geh mit ihr fort,
noch blüht zur stillen Nacht die Spur so frisch
wie alle Ernte auf dem Ladentisch.

Der Bau der Kirche · (Zur Epistel von Allerheiligen)

Die alte Kirche ist ein Bau der Narben,
ein Sein wie Wunde, bis sie steinern ward,
bis Stein an Stein wie Ohnmacht offenbart
der tote Bau und hat doch solche Art,
daß aller Stein wie Schollen tritt in Farben.

Doch stirbt ein Glanz verzehrend durch die Räume,
je mehr das Ostlicht öffnet die Gestalt
und ist nun planlos an den Ort gemalt,
und dunkler wird des Lichtes Aufenthalt
und wie beschädigt Erde, Meer und Bäume.

So kann die Gegenwart nicht sein und enden;
es wendet sich der Bau wie innen wund
und stirbt im Licht und wird des Tods gesund,
der wie ein Blut tritt aus des Heilgen Mund,
die Engel aber stehen an den Wenden.

III

Geistliches Lied

Zeichen, seltne Stickerei'n
Malt ein flatternd Blumenbeet.
Gottes blauer Odem weht
In den Gartensaal herein,
Heiter ein.
Ragt ein Kreuz im wilden Wein.

Hör' im Dorf sich viele freun,
Gärtner an der Mauer mäht,
Leise eine Orgel geht,
Mischet Klang und goldenen Schein,
Klang und Schein,
Liebe segnet Brot und Wein.

Mädchen kommen auch herein
Und der Hahn zum letzten kräht.
Sacht ein morsches Gitter geht
Und in Rosen Kranz und Reihn,
Rosenreihn
Ruht Maria weiß und fein.

Bettler dort am alten Stein
Scheint verstorben im Gebet,
Sanft ein Hirt vom Hügel geht
Und ein Engel singt im Hain,
Nah im Hain
Kinder in den Schlaf hinein.

Die Sonne

Täglich kommt die gelbe Sonne über den Hügel.
Schön ist der Wald, das dunkle Tier,
Der Mensch; Jäger oder Hirt.

Rötlich steigt im grünen Weiher der Fisch.
Unter dem runden Himmel
Fährt der Fischer leise im blauen Kahn.

Langsam reift die Traube, das Korn.
Wenn sich stille der Tag neigt,
Ist ein Gutes und Böses bereitet.

Wenn es Nacht wird,
Hebt der Wanderer leise die schweren Lider;
Sonne aus finsterer Schlucht bricht.

Im Frühling

Leise sank von dunklen Schritten der Schnee,
Im Schatten des Baums
Heben die rosigen Lider Liebende.

Immer folgt den dunklen Rufen der Schiffer
Stern und Nacht;
Und die Ruder schlagen leise im Takt.

Balde an verfallener Mauer blühen
Die Veilchen,
Ergrünt so stille die Schläfe des Einsamen.

Sommer

Am Abend schweigt die Klage
Des Kuckucks im Wald.
Tiefer neigt sich das Korn,
Der rote Mohn.

Schwarzes Gewitter droht
Über dem Hügel.
Das alte Lied der Grille
Erstirbt im Feld.

Nimmer regt sich das Laub
Der Kastanie.
Auf der Wendeltreppe
Rauscht dein Kleid.

Stille leuchtet die Kerze
Im dunklen Zimmer;
Eine silberne Hand
Löschte sie aus;

Windstille, sternlose Nacht.

In den Nachmittag geflüstert

Sonne, herbstlich dünn und zag,
Und das Obst fällt von den Bäumen.
Stille wohnt in blauen Räumen
Einen langen Nachmittag.

Sterbeklänge von Metall;
Und ein weißes Tier bricht nieder.
Brauner Mädchen rauhe Lieder
Sind verweht im Blätterfall.

Stirne Gottes Farben träumt,
Spürt des Wahnsinns sanfte Flügel.
Schatten drehen sich am Hügel.
Von Verwesung schwarz umsäumt.

Dämmerung voll Ruh und Wein;
Traurige Gitarren rinnen.
Und zur milden Lampe drinnen
Kehrst du wie im Traume ein.

Verklärter Herbst

Gewaltig endet so das Jahr
Mit goldnem Wein und Frucht der Gärten.
Rund schweigen Wälder wunderbar
Und sind des Einsamen Gefährten.

Da sagt der Landmann: Es ist gut.
Ihr Abendglocken lang und leise
Gebt noch zum Abschied frohen Mut.
Ein Vogelzug grüßt auf der Reise.

Es ist der Liebe milde Zeit.
Im Kahn den blauen Fluß hinunter
Wie schön sich Bild an Bildchen reiht —
Das geht in Ruh und Schweigen unter.

Ein Winterabend

Wenn der Schnee ans Fenster fällt,
Lang die Abendglocke läutet,
Vielen ist der Tisch bereitet.
Und das Haus ist wohlbestellt.

Mancher auf der Wanderschaft
Kommt ans Tor auf dunklen Pfaden.
Golden blüht der Baum der Gnaden
Aus der Erde kühlem Saft.

Wanderer tritt still herein;
Schmerz versteinerte die Schwelle.
Da erglänzt in reiner Helle
Auf dem Tische Brot und Wein.

Trompeten

Unter verschnittenen Weiden, wo braune Kinder spielen
Und Blätter treiben, tönen Trompeten. Ein
                              Kirchhofsschauer.
Fahnen von Scharlach stürzen durch des Ahorns Trauer,
Reiter entlang an Roggenfeldern, leeren Mühlen.

Oder Hirten singen nachts und Hirsche treten
In den Kreis ihrer Feuer, des Hains uralte Trauer,
Tanzende heben sich von einer schwarzen Mauer;
Fahnen von Scharlach, Lachen, Wahnsinn, Trompeten.

Kindheit

Voll Früchten der Holunder; ruhig wohnte die Kindheit
In blauer Höhle. Über vergangenen Pfad,
Wo nun bräunlich das wilde Gras saust,
Sinnt das stille Geäst; das Rauschen des Laubs

Ein gleiches, wenn das blaue Wasser im Felsen tönt.
Sanft ist der Amsel Klage. Ein Hirt
Folgt sprachlos der Sonne, die vom herbstlichen Hügel rollt.

Ein blauer Augenblick ist nur mehr Seele.
Am Waldsaum zeigt sich ein scheues Wild und friedlich
Ruhn im Grund die alten Glocken und finsteren Weiler.

Frömmer kennst du den Sinn der dunklen Jahre,
Kühle und Herbst in einsamen Zimmern;
Und in heiliger Bläue läuten leuchtende Schritte fort.

Leise klirrt ein offenes Fenster; zu Tränen
Rührt der Anblick des verfallenen Friedhofs am Hügel,
Erinnerung an erzählte Legenden; doch manchmal
                              erhellt sich die Seele,
Wenn sie frohe Menschen denkt, dunkelgoldene
                              Frühlingstage.

Frühling der Seele

Aufschrei im Schlaf; durch schwarze Gassen stürzt der Wind,
Das Blau des Frühlings winkt durch brechendes Geäst,
Purpurner Nachttau und es erlöschen rings die Sterne.
Grünlich dämmert der Fluß, silbern die alten Alleen
Und die Türme der Stadt. O sanfte Trunkenheit
Im gleitenden Kahn und die dunklen Rufe der Amsel
In kindlichen Gärten. Schon lichtet sich der rosige Flor.

Feierlich rauschen die Wasser. O die feuchten Schatten
        der Au,
Das schreitende Tier; Grünendes, Blütengezweig
Rührt die kristallene Stirne; schimmernder Schaukelkahn.
Leise tönt die Sonne im Rosengewölk am Hügel.
Groß ist die Stille des Tannenwalds, die ernsten
          Schatten am Fluß.

Reinheit! Reinheit! Wo sind die furchtbaren Pfade des
        Todes,
Des grauen steinernen Schweigens, die Felsen der Nacht
Und die friedlosen Schatten? Strahlender Sonnenabgrund.

Schwester, da ich dich fand an einsamer Lichtung
Des Waldes und Mittag war und groß das Schweigen
        des Tiers;
Weiße unter wilder Eiche, und es blühte silbern der Dorn.
Gewaltiges Sterben und die singende Flamme im Herzen.

Dunkler umfließen die Wasser die schönen Spiele der Fische.
Stunde der Trauer, schweigender Anblick der Sonne;
Es ist die Seele ein Fremdes auf Erden. Geistlich dämmert
Bläue über dem verhauenen Wald und es läutet
Lange eine dunkle Glocke im Dorf; friedlich Geleit.
Stille blüht die Myrthe über den weißen Lidern des Toten.

Leise tönen die Wasser im sinkenden Nachmittag
Und es grünet dunkler die Wildnis am Ufer, Freude
im rosigen Wind;
Der sanfte Gesang des Bruders am Abendhügel.

Abendländisches Lied

O der Seele nächtlicher Flügelschlag:
Hirten gingen wir einst an dämmernden Wäldern hin
Und es folgte das rote Wild, die grüne Blume und
der lallende Quell
Demutsvoll. O, der uralte Ton des Heimchens,
Blut blühend am Opferstein
Und der Schrei des einsamen Vogels über der grünen
Stille des Teichs.

O, ihr Kreuzzüge und glühenden Martern
Des Fleisches, Fallen purpurner Früchte
Im Abendgarten, wo vor Zeiten die frommen Jünger
gegangen,
Kriegsleute nun, erwachend aus Wunden und
Sternenträumen.
O, das sanfte Zyanenbündel der Nacht.

O, ihr Zeiten der Stille und goldener Herbste,
Da wir friedliche Mönche die purpurne Traube gekeltert;
Und rings erglänzten Hügel und Wald.
O, ihr Jagden und Schlösser; Ruh des Abends,
Da in seiner Kammer der Mensch Gerechtes sann,
In stummem Gebet um Gottes lebendiges Haupt rang.

O, die bittere Stunde des Untergangs,
Da wir ein steinernes Antlitz in schwarzen Wassern beschaun.
Aber strahlend heben die silbernen Lider die Liebenden:
Ein Geschlecht. Weihrauch strömt von rosigen Kissen
Und der süße Gesang der Auferstandenen.

Gesang des Abgeschiedenen

Voll Harmonien ist der Flug der Vögel. Es haben die
grünen Wälder
Am Abend sich zu stilleren Hütten versammelt;
Die kristallenen Weiden des Rehs.
Dunkles besänftigt das Plätschern des Bachs, die
feuchten Schatten

Und die Blumen des Sommers, die schön im Winde läuten.
Schon dämmert die Stirne dem sinnenden Menschen.

Und es leuchtet ein Lämpchen, das Gute, in seinem Herzen
Und der Frieden das Mahls; denn geheiligt ist Brot
und Wein
Von Gottes Händen, und es schaut aus nächtigen Augen
Stille dich der Bruder an, daß er ruhe von dorniger
Wanderschaft.
O das Wohnen in der beseelten Bläue der Nacht.

Liebend auch umfängt das Schweigen im Zimmer die
Schatten der Alten,
Die purpurnen Martern, Klage eines großen Geschlechts,
Das fromm nun hingeht im einsamen Enkel.

Denn strahlender immer erwacht aus schwarzen
Minuten des Wahnsinns
Der Duldende an versteinerter Schwelle
Und es umfängt ihn gewaltig die kühle Bläue und die
leuchtende Neige des Herbstes,

Das stille Haus und die Sagen des Waldes,
Maß und Gesetz und die mondenen Pfade der
Abgeschiedenen.

Im Osten

Den wilden Orgeln des Wintersturms
Gleicht des Volkes finstrer Zorn,
Die purpurne Woge der Schlacht,
Entlaubter Sterne.

Mit zerbrochnen Brauen, silbernen Armen
Winkt sterbenden Soldaten die Nacht.
Im Schatten der herbstlichen Esche
Seufzen die Geister der Erschlagenen.

Dornige Wildnis umgürtet die Stadt,
Von blutenden Stufen jagt der Mond
Die erschrockenen Frauen.
Wilde Wölfe brachen durchs Tor.

Berlin

Beteerte Fässer rollten von den Schwellen
Der dunklen Speicher auf die hohen Kähne.
Die Schlepper zogen an. Des Rauches Mähne
Hing rußig nieder auf die öligen Wellen.

Zwei Dampfer kamen mit Musikkapellen.
Den Schornstein kappten sie am Brückenbogen.
Rauch, Ruß, Gestank lag auf den schmutzigen Wogen
Der Gerbereien mit den braunen Fellen.

In allen Brücken, drunter uns die Zille
Hindurchgebracht, ertönten die Signale
Gleichwie in Trommeln wachsend in der Stille.

Wir ließen los und trieben im Kanale
An Gärten langsam hin. In dem Idylle
Sahn wir der Riesenschlote Nachtfanale.

Die Märkte

Schleifender Füße sind tausend auf ihnen getreten.
Hohe Karossen rollten wie Donner so hohl.
Immer lagen sie bleich und schüchtern. Und flehten
Um die übrigen Rüben und dürftigen Kohl.

Die in dem Schauen so vieler der Sommer ergreiset,
Im ritzenden Froste der bitteren Winter zernagt,
Vom winzigen Brosam des Frühwinds trübe gespeiset,
Wenn märzlich das Jahr mit blauem Sturme getagt.

Ewig nur hängende Särge krochen darüber;
Ihre Stirnen waren von Fackeln oft rot.
Tränen, die großen, schlugen voll Hitze hernieder,
Und sie schwanden in sie, die so trocken wie Brot.

Viele Gesänge sie hörten und silberne Tänze,
Aus hellen Palästen oft schallte ein Saitenspiel,
Im Grunde der braunen Gemächer sahen sie glänzen
Fröhlicher Zeiten Ernte und Mähler viel.

Oben im Grauen oft sahn sie die Vögel kehren
Unruhig um — wie Spreu durch die Himmel vorbei.
Die, ach, trieben hinaus mit den Wolken, den schweren,
Über die schwellenden Herbste mit scharfem Geschrei.

Ihrer dachte doch niemand. Die kümmerlich aßen
Nun der Dächer Unrat mit hungrigem Mund.
Wer sich nachts dort erbrach, die in Finsternis saßen,
Und sie lagen beschmutzt auf dem schneeigen Grund.

Um Mitternacht dann — die Mäuse schoben die Knochen
Über sie sanft. Die Raben schleuderten Mist.
Mit knickenden Beinen die mächtigen Spinnen krochen
Zärtlich über ihr zitterndes Angesicht.

So sperrten sie immer empor ihre riesigen Lippen
Und schrien nach einem Heiland der tollen Zeit,
Und hörten den Wind am Tag — im Abend ein Regentrippen
Weißer Sterne Geräusche durchs Dunkel der Räume
                                        verschneit.

Ophelia

Im Haar ein Nest von jungen Wasserratten,
Und die beringten Hände auf der Flut
Wie Flossen, also treibt sie durch den Schatten
Des großen Urwalds, der im Wasser ruht.

Die letzte Sonne, die im Dunkel irrt,
Versenkt sich tief in ihres Hirnes Schrein.
Warum sie starb? Warum sie so allein
Im Wasser treibt, das Farn und Kraut verwirrt?

Im dichten Röhricht steht der Wind. Er scheucht
Wie eine Hand die Fledermäuse auf.
Mit dunklem Fittich, von dem Wasser feucht
Stehn sie wie Rauch im dunklen Wasserlauf,

Wie Nachtgewölk. Ein langer, weißer Aal
Schlüpft über ihre Brust. Ein Glühwurm scheint
Auf ihrer Stirn. Und eine Weide weint
Das Laub auf sie und ihre stumme Qual.

Tod des Pierrots

Wo Herbstes Leier süß in Einsamkeit
Durch blauer Felder Sonnenschatten tönt
An rote Wolken, und die Wälder weit
Im Glanze stehn, der ihren Tod versöhnt,

Da küßt ihn Schlaf. Und goldener Abend träuft
Sein Blut auf seine Stirn im bunten Laub.
Schon schlummert er. Die wilde Rose häuft
Die Blüte seinem Grab, des Jahres Raub.

Ein Amselschlag in später Abendröte,
Wie Dämmrung zart, vom Dolch der Liebe krank,
So zittert fort in seiner weißen Flöte
Der Wind, die seiner blassen Hand entsank.

Und in dem Abend, wo die Wolke zieht,
Die zart wie goldener Rauch im Licht verrinnt,
Singt ihm ein weißer Schwan ein Totenlied,
Den langsam südwärts treibt der Abendwind.

Alle Landschaften haben
Sich mit Blau erfüllt.
Alle Büsche und Bäume des Stromes,
Der weit in den Norden schwillt.

Leichte Geschwader, Wolken,
Weiße Segel dicht,
Die Gestade des Himmels dahinter
Zergehen in Wind und Licht.

Wenn die Abende sinken
Und wir schlafen ein,
Gehen die Träume, die schönen,
Mit leichten Füßen herein.

Zymbeln lassen sie klingen
In den Händen licht.
Manche flüstern und halten
Kerzen vor ihr Gesicht.

Deine Wimpern, die langen,
Deiner Augen dunkele Wasser,
Laß mich tauchen darein,
Laß mich zur Tiefe gehn.

Steigt der Bergmann zum Schacht
Und schwankt seine trübe Lampe
Über der Erze Tor,
Hoch an der Schattenwand,

Sieh, ich steige hinab,
In deinem Schoß zu vergessen,
Fern was von oben dröhnt,
Helle und Qual und Tag.

An den Feldern verwächst,
Wo der Wind steht, trunken vom Korn,
Hoher Dorn, hoch und krank
Gegen das Himmelsblau.

Gib mir die Hand,
Wir wollen einander verwachsen,
Einem Wind Beute,
Einsamer Vögel Flug.

Hören im Sommer
Die Orgel der matten Gewitter,
Baden in Herbsteslicht
Am Ufer des blauen Tags.

Manchmal wollen wir stehn
Am Rand des dunkelen Brunnens,
Tief in die Stille zu sehn,
Unsere Liebe zu suchen.

Oder wir treten hinaus
Vom Schatten der goldenen Wälder,
Groß in ein Abendrot,
Das dir berührt sanft die Stirn.

Göttliche Trauer,
Schwinge der ewigen Liebe,
Hebe den Krug herauf,
Trinke den Schlaf.

Einmal am Ende zu stehen,
Wo Meer in gelblichen Flecken
Leise schwimmt schon herein
Zu der September Bucht.

Oben zu ruhn
Im Hause der dürftigen Blumen,
Über die Felsen hinab
Singt und zittert der Wind.

Doch von der Pappel,
Die ragt im Ewigen Blauen,
Fällt schon ein braunes Blatt,
Ruht auf dem Nacken dir aus.

Mit den fahrenden Schiffen
Sind wir vorübergeschweift,
Die wir ewig herunter
Durch glänzende Winter gestreift.
Ferner kamen wir immer
Und tanzten im insligen Meer,
Weit ging die Flut uns vorbei,
Und Himmel war schallend und leer.

Sage die Stadt,
Wo ich nicht saß im Tor,
Ging dein Fuß da hindurch,
Der die Locke ich schor?
Unter dem sterbenden Abend
Das suchende Licht
Hielt ich, wer kam da hinab,
Ach, ewig in fremdes Gesicht.

Bei den Toten ich rief,
Im abgeschiedenen Ort,
Wo die Begrabenen wohnen;
Du, ach, warest nicht dort.
Und ich ging über Feld,
Und die wehenden Bäume zu Haupt
Standen im frierenden Himmel
Und waren im Winter entlaubt.

Raben und Krähen
Habe ich ausgesandt,
Und sie stoben im Grauen
Über das ziehende Land.
Aber sie fielen wie Steine
Zur Nacht mit traurigem Laut
Und hielten im eisernen Schnabel
Die Kränze von Stroh und Kraut.

Manchmal ist deine Stimme,
Die im Winde verstreicht,
Deine Hand, die im Traume
Rühret die Schläfe mir leicht;
Alles war schon vorzeiten.
Und kehret wieder sich um.
Gehet in Trauer gehüllet,
Streuet Asche herum.

Mitte des Winters

Das Jahr geht zornig aus. Und kleine Tage
Sind viel verstreut wie Hütten in den Winter.
Und Nächte ohne Leuchten, ohne Stunden,
Und grauer Morgen ungewisse Bilder.

Sommerzeit, Herbstzeit, alles geht vorüber,
Und brauner Tod hat jede Frucht ergriffen.
Und andre kalte Sterne sind im Dunkel,
Die wir zuvor nicht sahn vom Dach der Schiffe.

Weglos ist jedes Leben. Und verworren
Ein jeder Pfad. Und keiner weiß das Ende,
Und wer da suchet, daß er Einen fände,
Der sieht ihn stumm und schüttelnd leere Hände.

Der Krieg

Aufgestanden ist er, welcher lange schlief,
Aufgestanden unten aus Gewölben tief.
In der Dämmrung steht er, groß und unbekannt,
Und den Mond zerdrückt er in der schwarzen Hand.

In den Abendlärm der Städte fällt es weit,
Frost und Schatten einer fremden Dunkelheit.
Und der Märkte runder Wirbel stockt zu Eis.
Es wird still. Sie sehn sich um. Und keiner weiß.

In den Gassen faßt es ihre Schulter leicht.
Eine Frage. Keine Antwort. Ein Gesicht erbleicht.
In der Ferne zittert ein Geläute dünn,
Und die Bärte zittern um ihr spitzes Kinn.

Auf den Bergen hebt er schon zu tanzen an,
Und er schreit: Ihr Krieger alle, auf und an!
Und es schallet, wenn das schwarze Haupt er schwenkt,
Drum von tausend Schädeln laute Kette hängt.

Einem Turm gleich tritt er aus die letzte Glut,
Wo der Tag flieht, sind die Ströme schon voll Blut.
Zahllos sind die Leichen schon im Schilf gestreckt,
Von des Todes starken Vögeln weiß bedeckt.

In die Nacht er jagt das Feuer querfeldein,
Einen roten Hund mit wilder Mäuler Schrein.
Aus dem Dunkel springt der Nächte schwarze Welt,
Von Vulkanen furchtbar ist ihr Rand erhellt.

Und mit tausend hohen Zipfelmützen weit
Sind die finstren Ebnen flackend überstreut,
Und was unten auf den Straßen wimmelnd flieht,
Stößt er in die Feuerwälder, wo die Flamme brausend zieht.

Und die Flammen fressen brennend Wald um Wald,
Gelbe Fledermäuse, zackig in das Laub gekrallt,
Seine Stange haut er wie ein Köhlerknecht
In die Bäume, daß das Feuer brause recht.

Eine große Stadt versank in gelbem Rauch,
Warf sich lautlos in des Abgrunds Bauch.
Aber riesig über glühnden Trümmern steht,
Der in wilde Himmel dreimal seine Fackel dreht

Über sturmzerfetzter Wolken Widerschein,
In des toten Dunkels kalten Wüstenein,
Daß er mit dem Brande weit die Nacht verdorr,
Pech und Feuer träufet unten auf Gomorrh.

Vorfrühling

In dieser Märznacht trat ich spät aus meinem Haus.
Die Straßen waren aufgewühlt von Lenzgeruch und grünem
    Saatregen.
Winde schlugen an. Durch die verstörte Häusersenkung
    ging ich weit hinaus
Bis zu dem unbedeckten Wall und spürte: meinem Herzen
    schwoll ein neuer Takt entgegen.

In jedem Lufthauch war ein junges Werden ausgespannt.
Ich lauschte, wie die starken Wirbel mir im Blute rollten.
Schon dehnte sich bereitet Acker. In den Horizonten ein-
    gebrannt
War schon die Bläue hoher Morgenstunden, die ins Weite
    führen sollten.

Die Schleusen knirschten. Abenteuer brach aus allen Fernen.
Überm Kanal, den junge Ausfahrtswinde wellten, wuchsen
    helle Bahnen,
In deren Licht ich trieb. Schicksal stand wartend in um-
    wehten Sternen.
In meinem Herzen lag ein Stürmen wie von aufgerollten
    Fahnen.

Schwerer Abend

Die Tore aller Himmel stehen hoch dem Dunkel offen,
Das lautlos einströmt, wie in bodenlosen Trichter
Land niederreißend. Schatten treten dichter
Aus lockren Poren nachtgefüllter Schollen.
Die Pappeln, die noch kaum von Sonne troffen,
Sind stumpf wie schwarze Kreuzesstämme übers Land ge-
    schlagen.
Die Äcker wachsen grau und drohend — Ebenen trüber
    Schlacke.

Nacht wirbelt aus den Wolkengruben, über die die Stöße rollen
Schon kühler Winde, und im dämmrigen Gezacke
Hellgrüner Weidenbüschel, drin es rastend sich und röchelnd eingeschlagen,
Verglast das letzte Licht.

Fahrt über die Kölner Rheinbrücke bei Nacht

Der Schnellzug tastet sich und stößt die Dunkelheit entlang.
Kein Stern will vor. Die ganze Welt ist nur ein enger, nachtumschienter Minengang,
Darein zuweilen Förderstellen blauen Lichtes jähe Horizonte reißen: Feuerkreis
Von Kugellampen, Dächern, Schloten, dampfend, strömend . . . nur sekundenweis . . .
Und wieder alles schwarz. Als führen wir ins Eingeweid der Nacht zur Schicht.
Nun taumeln Lichter her . . . verirrt, trostlos vereinsamt . . . mehr . . . und sammeln sich . . . und werden dicht.
Gerippe grauer Häuserfronten liegen bloß, im Zwielicht bleichend, tot — etwas muß kommen . . . o, ich fühl es schwer
Im Hirn. Eine Beklemmung singt im Blut. Dann dröhnt der Boden plötzlich wie ein Meer:
Wir fliegen, aufgehoben, königlich durch nachtentrissne Luft, hoch überm Strom. O Biegung der Millionen Lichter, stumme Wacht,
Vor deren blitzender Parade schwer die Wasser abwärts rollen. Endloses Spalier, zum Gruß gestellt bei Nacht!
Wie Fackeln stürmend! Freudiges! Salut von Schiffen über blauer See! Bestirntes Fest!
Wimmelnd, mit hellen Augen hingedrängt! Bis wo die Stadt mit letzten Häusern ihren Gast entläßt.

Und dann die langen Einsamkeiten. Nackte Ufer. Stille.
Nacht. Besinnung. Einkehr. Kommunion. Und Glut
und Drang
Zum Letzten, Segnenden. Zum Zeugungsfest. Zur Wollust.
Zum Gebet. Zum Meer. Zum Untergang.

Am Feuer

Septembernacht. Land zwischen Maas und ihren Bächen;
    Kartoffelfeuer, quer überritten, wüst zerstampft, zer-
    treten.
Wer kennt sich aus? Wer war schon hier, allein, mit
    Damen, braunen Hunden? Fern: Wälder, Hügel,
    Allerlei, Gestirne, Tote,
Gejohl der Reiter, dreckig, wundgeritten. Verdammt ruch-
    loser Mund der dumpfen Melodie vom frühen Morgen-
    rote! —
Ein Pferd bricht wiehernd auf, trabt gegen Norden . . .
    Ich möchte aufstehn, auf die Kniee falln und beten,
Ich möchte Sterne zählen, blaue, grüne, goldne in der großen
    Mitternacht; Gewitter sehen, wie sie sich verspritzen,
Westlich, im Sturmwind, violetten — Wer reitet ein?
    Schwadronen, Jäger, in den Sätteln schwankend, halb-
    dunkel, riesige Gestalten;
Batterien, Train. Zahlreich, fortdauernd, endlos. — Wir
    wollen schlafen, leblos sein, erkalten
Im feuchten Talwind, betropft vom Flankenschweiß der
    Gäule, die in die Finsternis unruhig und wachsam
    braune Ohren spitzen.
Wir wollen träumen: Gold, Gelächter, Frieden, Tage hell
    und weiß, wir wollen träumen: fernes, warmes Land,
Sanddünen, Meer und Segel; wir wollen gehn im Traum
    mit wunderbaren Frauen
Und heitren Kindern! Vor uns die hundert Feuer züngelnd,
    klein, gespenstisch, zuckend, in ihrem Rauch
Fühle ich nichts als dies: Gestirne abenteuerlich unruhig
    an einer schwarzen, ausgespannten Himmelswand,
Als leichten Wind in meinem Haar, im Bogen meiner lang-
    gewachsnen Brauen,
Gestöhn der Schläfer, Rot der Flammen und kalte Erde
    unter meinem Bauch.

Nächtliche Landschaft

Ein Gestirn wie ein Tag; und dahinter ein Rand, berührt
und bezogen von Licht und Geleucht,

Das ging oder kam, das fiel oder stand, unruhig, gespenstisch; und ging es, so war hohe Nacht;

Und kam es, so lag ein Dorf irgendwo, weiß und verhuscht,
und ein Wald war gemacht

Und ein Tal voller Schlaf, mit Gewässern, verworrenem
Zeug, mit Gräbern und Türmen von Kirchen, zerstört,
mit steigenden Nebeln, großwolkig und feucht,

Mit Hütten, wo Schlafende lagen, wo ein Traum ging umher,
voll Fieber, voll Fremdheit, voll tierischem Glanz, wo
urplötzlich zerriß

Irgendein Vorhang von Wolken; dahinter wuchs Meer der
Gestirne oder ein Reich von Raketen, sprang aus dem
Abgrund ein Licht,

Fürchterlich, brausend, rauschte Gerassel auf Wegen, trat
einer dunkel ins Dunkle mit einem schrecklichen
Traumgesicht,

Sah wandern den Flug von Feuern, hörte Gemetzel im
Grunde, sah brennen die Stadt ewig hinter der Finsternis.

Hörte ein Rollen im Erdbauch, schwerfällig, gewaltig, uralt
hörte Fahren auf Straßen, ins Leere, in die geweitete
Nacht, in ein Gewitter, schaurig im Westen. — Ruhlos
das Ohr

Von den tausend Hämmern der Front, von den Reitern,
die kamen, stampfend, eilfertig, von den Reitern, die
trabten hinweg, um ein Schatten zu werden, verwachsen der Nacht, um zu verwesen,

Schlachtet sie Tod, um unter Kräutern zu liegen, gewichtig,
versteint, Hände voll Spinnen, Mund rot von Schorf,

Augen voll urtiefem Schlaf, um die Stirne den Reif der

Verdunklung, blau, wächsern, faul werdend im Rauche
der Nacht,
Die niedersank, die weit überschattete, die gewölbt sich
spannte von Hügel zu Hügel, über Wald und Verwesung, über Gehirne voll Traum, über hunderte Tote,
unaufgelesen,
Über die Unzahl der Feuer, über Gelächter und Irrsinn,
über Kreuze auf Wiesen, über Qual und Verzweiflung,
über Trümmer und Asche, über Fluß und verdorbenes
Dorf . . .

Morgen bei Brieulles

Maas wie ein Silberstrich gezogen hell im Tal, das Demut
ist. Im Grund ein Strand voll Weiden. Gezelte noch
im Schlaf, ein früher Reiter
In schnellem Trab, in Dunst und Ferne. Und Wiesen,
südlich, Reiher, verzankte Krähen. Wind überall,
Wind in den Segeln, Wind in Fahnen,
Wind an den Schnüren. Ein Rauch im Ost, steil aufge-
stiegen, dann gedrückt grauflatternd. Es dröhnt ein
Lärm wie von der Fahrt von vielen Bahnen.
Frontwärts der Zorn, das Rollen dunkler Schlachten im
Raum der Wälder, am Fuß der Forts. Töne, wie Tore
zugeschlagen. Es legt sich nasser Nebel, breiter,
Zerflatterter. Es legt sich Stille tief, es legt sich Mond in
fahlen Himmelsabgrund, wo Vögel kreisen hoch und
wie vertrieben. Dann rot und golden
Fluß und die Furt, Riß ferner Stadt, dann hell versilbert,
dann wunderbar verschönt das Gras, die Gräber, die
Gewerke. Kolonnen rollten
Aus alten Ställen, fahrend in Glanz, gewichtig glühend.
Fuhren zu Tal, verschwanden bald, zerstampften zärt-
liche Gewächse, Grund.

Dann Wassersäulen, Lärm. Winziger Fliegerwuchs in
frisches Blau. Ballone nah den Sternen, matten,
morgendlichen; zuweilen noch der große Mörsermund.
Zuweilen noch der Rand voll Blitze. Türme gebohrt ins
Morgendliche, Schlösser wie Schliffachat, verlächelt,
frauenhaft,
In guten Gärten voll Zypressenstrauch, voll Zauberei, verlornen Liedern, voll dem Gesicht der Gräfin, gütig,
müd . . .
Gesänge, dunkel. Wußte wer von wem? Gewiß das Heimweh aus besorgtem Herz, da eine Mühle lag am Bach,
mit Wehren, schwarz gefault, voll Moos,
Verschwiegen, ältlich, ohne Räderlärm. Da eine Schmiede
Feuer warf und klirrend hämmerte, da oben rauschte
von Reihern Wanderschaft.
Und immer Wind, Wind fröhlich fahrend. Hügel wie heim-
wärts: sanft, voll Süßigkeit, mit Hecken. Rauch, blau
und grau; aus welchem Dach geblüht?
Aus allen Dächern, säulend. Aus allen Schlöten, schlank.
Aus Brunnen sprudelnd Quell, der Rosse Trank. Die
Front flucht donnernd wieder. Die Sonne steigt ge-
waltig, übermächtig, groß.

Der Soldat

(1) · Waldlager bei Billy

Rollen noch wie Mäuse
Eicheln übers Dach,
In des Drahtbetts Reuse
Lieg ich überwach.

Alle sind gegangen,
Keiner mehr bei mir.
Draußen rauschen die langen
Eichen mit Goldpapier.

Blumen nicht, noch Küsse.
Briefe lichterloh.
Ach, die Haselnüsse
Deiner Augen — wo?

Nüsse eine Menge,
Küsse eine Zahl.
Blumen ein Gedränge.
Briefe eine Qual.

Wald mit tausend Pfützen.
Wer tritt ins Haus?
Hall von Geschützen
Löscht die Kerze aus.

(2) · Cap de Bonne-Espérance

Am Kap da steht ein Häuschen
Zu täglichem Gebrauch,
Da wohnen keine Mäuschen
Und keine Ratten auch.

Das Häuschen, schief und putzig,
Von Splittern ganz durchsiebt,
Erlauf ich und benutz ich,
So oft es mir beliebt.

Ich sitze da und spähe
Bequem durch jede Wand:
Geschütze in der Nähe
Und tief verschneites Land.

Und sitze da ganz eilig
Im windigen Privé
Und schaue hundertteilig
Die Hoffnung und den Schnee.

Die Hoffnung geht in Scherben.
Dreckerde fliegt und Schnee.
O Sterben und Verderben
Im windigen Privé!

Kleiner Hafen

Der Mond, die weiße Perle,
Scheint auf betrunkne Kerle.
Betrunkne hat ja jede Stadt
Von Zuidersee bis Kattegat.

Sie saufen, bis sie lallen,
Und laufen, bis sie fallen.
Sie liegen hier im Ufersand,
Zerscherbte Gläser in der Hand.

Wer hebt sie auf, die Guten?
Und bringt sie auf die Schuten,
Die Kutter, Ewer, ankerfest?
Wer tut, was jeder andre läßt? —

So bleiben sie hier liegen.
Der Sand scheint sie zu wiegen.
Und einer überschwankt das Brett
Und fällt genau ins Totenbett.

Dorf bei Nacht

Wie eine ausgehöhlte Frucht,
Darin die Kerze scheint,
Liegt dort das Dorf in dunkler Bucht,
Und alles lebt vereint.

Man trinkt den Wein wie Öl und schweigt.
Der Turm tut seinen Schlag.
Und wird das leere Glas gezeigt,
So ist noch lang kein Tag.

Die Grille sagt den schwarzen Reim,
Derweil die Stunde rinnt.
Wer weiterreist, verliert ein Heim,
Der weiß nicht was gewinnt.

Der Häher

Als Markwart meine Kirschen aß,
Da wolltst du, daß ich dein vergaß.

Der dich vergäß, verlör auch sich
Samt Kirschenblut und Schnabelstich

Und auch dir selber blieb' als Rest
Nicht mehr, als Markwart übrigläßt:

Ein Kirschenrest, ein Blätterwehn,
Und wo du gehst, allein zu gehn.

Zwielicht

Der Mond hing im Raum als reife
Mirabelle,
Es hob sich der Rauch meiner Pfeife
Ins Helle.

Es war, als ob an den Hängen
Das Zwielicht
Treue und Untreue menge
Bis weit in die Fernsicht,

Als ob, wo Blätter an Teichen
Aufblitzten,
Liebende ständen, die Trauerzeichen
In Stämme ritzten.

Und weil wir den Schattenraum keine Nacht
Niemals ermessen,
Schwindet wie Rauch, was wir unbedacht
Jemals besessen.

Grüner Falter

Grüner Falter der Frühe,
Los und ledige Blume,
Von des Himmels Belaubung nachts gebrochen,
Da meine los und ledige Seele
Drang ins Geraschel —
Falter, fall mir ins Haar,
Daß es mich freudiger treibt in die Helle
Wehender Wiesen, farbig wogender Blumen,
Wie sie die Erde noch festhält.

Liebeslied eines Mädchens

Wenn wir Mund auf Munde
Lagen in der Nacht,
Ward zu mir die Kunde
Jener Zeit gebracht,

Da ich dich nicht fühlte,
Und im Gartengrund
Mir die Lilie kühlte
Angesicht und Mund.

Weißt du jenen Garten,
Der von Lilien roch?
Hatt ich Ruh zu warten?
Ach, jetzt wein ich doch.

Keine Ruh zu weinen
Hatt ich bis zu dir,
Darum stehn und scheinen
Lilien hinter mir.

Die Liebenden

Zweierlei tun die heimlich Liebenden,
Wenn sie einander begegnen: Sie lächeln
Und sie erzittern. Das Lächeln gleitet hinweg,
Aber das Zittern bleibt und breitet sich aus, wo die Seele
Flügelbebend sich öffnet.

Doch, wenn der Abend kommt,
Nacht ruht in jeder Blume, und schwarz ist geworden
Der Mohn, kein Zittern, kein Lächeln mehr ist, und der Kuß
Geendet: wie flügelt die Seele dann,
Oh wie schwebt sie, die unsre, in eins gefaltete, ruhlose,
Über dem Tode.

Fragment

Tu sie fort, tu immer sie fort
Zu den Gallenäpfeln unter das welke Laub,
Die süße Liebe auf dieser bitteren Erde —

Wie wirst du leben, wie werden wir leben?
Einsam — und bald wird keiner,
Nach dem andern zu suchen, mehr sein.

Gehab dich wohl, gehab dich wohl.
Und auf der Steige des Waldes leuchtet noch
Dein rotes Tuch —

Grab unter Kirschenbäumen

Unterm Geglitzer der Sterne,
Kirsche, du schwarzer Schein,
Reifen die blutigen Kerne
Dir in den schwarzen Wein.
Aber schon färbt sich die Ferne,
Suchen im schwarzen Hain
Frühwinde mich, ob ich lerne
Singen im schwarzen Stein.

Herbstzeitlose

Das Blau der Astern ist wie der Abend selber,
Und jene Äpfel sind wie die runde Geduld
Dem Unruhvollen. Er schaut die Herbstzeitlosen,
Wie sie als Pfeile des Himmels,
Vom lichten September versendet, im Grase rings
Liegen und stehn. Er fühlt den eigenen
Pfeil in der Brust, den eisigen, der ihn getroffen,
Als er den Liebreiz schöner gedachte zu lieben.

Und der Abend nimmt ihm das Blau der Astern,
Und die Äpfel werden zu Nacht.
Doch der heillos Getroffene, nun er mit Äpfeln in Händen
Hingeht, wie spürt er die Wandungen
Irdischer Einfalt! Und ach, in der Hütte,
Wo ihm die Kerze blinkt wie ein silberner Köcher,
Wird ihm wohl auch noch einmal — wie zart,
Aber wie spät — der Pfeil aus der Brust genommen.

Die letzte Rose

Wer hat dieser letzten Rose
Ihren letzten Duft verliehn?
Tritt hinaus ins Sonnenlose,
Atme ihn und spüre ihn,

Wie er rot im Offenbaren
Und verschwebender wie Wein
Wesen kündet, die nie waren
Und die hier nie werden sein.

Schwarz

Nacht ohne dich.
Wer wird mein Herz bewahren?
Der Mond erblich.
Die Vogelwolken fahren.
Vorüberstrich
Ein Schwarm von schwarzen Jahren.

Gebet

Ich suche allerlanden eine Stadt,
Die einen Engel vor der Pforte hat.
Ich trage seinen großen Flügel
Gebrochen schwer am Schulterblatt
Und in der Stirne seinen Stern als Siegel.

Und wandle immer in die Nacht...
Ich habe Liebe in die Welt gebracht, —
Daß blau zu blühen jedes Herz vermag,
Und hab ein Leben müde mich gewacht,
In Gott gehüllt den dunklen Atemschlag.

O Gott, schließ um mich deinen Mantel fest;
Ich weiß, ich bin im Kugelglas der Rest,
Und wenn der letzte Mensch die Welt vergießt,
Du mich nicht wieder aus der Allmacht läßt
Und sich ein neuer Erdball um mich schließt.

Mein Volk

Der Fels wird morsch,
Dem ich entspringe
Und meine Gotteslieder singe...
Jäh stürz ich vom Weg
Und riesele ganz in mir
Fernab, allein über Klagegestein
Dem Meer zu.

Hab mich so abgeströmt
Von meines Blutes
Mostvergorenheit.
Und immer, immer noch der Widerhall
In mir,
Wenn schauerlich gen Ost

Das morsche Felsgebein,
Mein Volk,
Zu Gott schreit.

Abraham und Isaak

Abraham baute in der Landschaft Eden
Sich eine Stadt aus Erde und aus Blatt
Und übte sich mit Gott zu reden.

Die Engel ruhten gern vor seiner frommen Hütte
Und Abraham erkannte jeden;
Himmlische Zeichen ließen ihre Flügelschritte.

Bis sie dann einmal bang in ihren Träumen
Meckern hörten die gequälten Böcke,
Mit denen Isaak opfern spielte hinter Süßholzbäumen.

Und Gott ermahnte: Abraham!!
Er brach vom Kamm des Meeres Muscheln ab und Schwamm
Hoch auf den Blöcken den Altar zu schmücken.

Und trug den einzigen Sohn gebunden auf den Rücken
Zu werden seinem großen Herrn gerecht —
Der aber liebte seinen Knecht.

Jakob und Esau

Rebekkas Magd ist eine himmlische Fremde,
Aus Rosenblättern trägt die Engelin ein Hemde
Und einen Stern im Angesicht.

Und immer blickt sie auf zum Licht,
Und ihre sanften Hände lesen
Aus goldenen Linsen ein Gericht.

Jakob und Esau blühn an ihrem Wesen
Und streiten um die Süßigkeiten nicht,
Die sie in ihrem Schoß zum Mahle bricht.

Der Bruder läßt dem jüngeren die Jagd
Und all sein Erbe für den Dienst der Magd;
Um seine Schultern schlägt er wild das Dickicht.

Jakob

Jakob war der Büffel seiner Herde.
Wenn er stampfte mit den Hufen
Sprühte unter ihm die Erde.

Brüllend ließ er die gescheckten Brüder,
Rannte in den Urwald an die Flüsse,
Stillte dort das Blut der Affenbisse.

Durch die müden Schmerzen in den Knöcheln
Sank er vor dem Himmel fiebernd nieder,
Und sein Ochsgesicht erschuf das Lächeln.

Ein alter Tibetteppich

Deine Seele, die die meine liebet,
Ist verwirkt mit ihr im Teppichtibet.

Strahl in Strahl, verliebte Farben,
Sterne, die sich himmellang umwarben.

Unsere Füße ruhen auf der Kostbarkeit,
Maschentausendabertausendweit.

Süßer Lamasohn auf Moschuspflanzenthron,
Wie lange küßt dein Mund den meinen wohl
Und Wang die Wange buntgeknüpfte Zeiten schon?

Ein Liebeslied

Komm zu mir in der Nacht — wir schlafen engverschlungen.
Müde bin ich sehr, vom Wachen einsam.
Ein fremder Vogel hat in dunkler Frühe schon gesungen,
Als noch mein Traum mit sich und mir gerungen.

Es öffnen Blumen sich vor allen Quellen
Und färben sich mit deiner Augen Immortellen . . . . .

Komm zu mir in der Nacht auf Siebensternenschuhen
Und Liebe eingehüllt spät in mein Zelt.
Es steigen Monde aus verstaubten Himmelstruhen.

Wir wollen wie zwei seltene Tiere liebesruhen
Im hohen Rohre hinter dieser Welt.

Gedenktag

Das Meer steigt rauschend übers Land,
Inbrünstig fallen Wasser aus den Höhen.
Still brennt die Kerze noch in meiner Hand.

Ich möchte meine liebe Mutter wiedersehen . . .
Begraben hab ich meinen Leib im kühlen Sand,
Doch meine Seele will von dieser Welt nicht gehen.

Und hat sich von mir abgewandt.
Ich wollte immer ihr ein Kleid aus Muscheln nähen;
In meinen rauhen Körper wurde sie verbannt.

Doch meine liebe Mutter gab sie mir zum Pfand.
Ich suche meine Seele überall auf Zehen;
Die nistete an meiner roten Felsenwand
Und noch in meinen Augen irrt ihr Spähen.

Gott hör . . .

Um meine Augen zieht die Nacht sich
Wie ein Ring zusammen.
Mein Puls verwandelte das Blut in Flammen
Und doch war alles grau und kalt um mich.

O Gott, und bei lebendigem Tage
Träum ich vom Tod.
Im Wasser trink ich ihn und würge ihn im Brot.
Für meine Traurigkeit gibt es kein Maß auf deiner Waage.

Gott hör . . . In deiner blauen Lieblingsfarbe
Sang ich das Lied von deines Himmels Dach —
Und weckte doch in deinem ewigen Hauche nicht den Tag.
Mein Herz schämt sich vor dir fast seiner tauben Narbe.

Wo ende ich? — O Gott!! Denn in die Sterne,
Auch in den Mond sah ich, in alle deiner Früchte Tal.
Der rote Wein wird schon in seiner Beere schal . . .
Und überall — die Bitternis — in jedem Kerne.

Die Verscheuchte

Es ist der Tag im Nebel völlig eingehüllt,
Entseelt begegnen alle Welten sich —
Kaum hingezeichnet wie auf einem Schattenbild.

Wie lange war kein Herz zu meinem mild . . .
Die Welt erkaltete, der Mensch verblich.
— Komm bete mit mir — denn Gott tröstet mich.

Wo weilt der Odem, der aus meinem Leben wich?
Ich streife heimatlos zusammen mit dem Wild
Durch bleiche Zeiten träumend — ja ich liebte dich . . .

Wo soll ich hin, wenn kalt der Nordsturm brüllt?
— Die scheuen Tiere aus der Landschaft wagen sich
Und ich vor deine Tür, ein Bündel Wegerich.

Bald haben Tränen alle Himmel weggespült,
An deren Kelchen Dichter ihren Durst gestillt —
Auch du und ich.

Ich weiß

Ich weiß, daß ich bald sterben muß.
Es leuchten doch alle Bäume
Nach langersehntem Julikuß —

Fahl werden meine Träume —
Nie dichtete ich einen trüberen Schluß
In den Büchern meiner Reime.

Eine Blume brichst du mir zum Gruß —
Ich liebte sie schon im Keime.
Doch ich weiß, daß ich bald sterben muß.

Mein Odem schwebt über Gottes Fluß —
Ich setze leise meinen Fuß
Auf den Pfad zum ewigen Heime.

Dem dunklen Gotte

(1)

Am erweiterten Strande des Meeres
blieb ich zurück
klagend über die Flut
die das Meer mir brachte
und unerbittlich wieder zurücknahm.

Aber vielleicht ist es nur dies
daß ein Leben nicht ausreicht
abzuwarten
bis sie zurückkommt.

(2)

Wo ist der Freund
der meine Spur in Blumengärten sucht
dort
wo im Winde nur die Türe ächzt
die ich beim Fortgehn
ach
vergaß zu schließen.

(3)

Immer horch ich
ob niemand mich ruft.

Wie ein Fenster
über das unablässig
der Regen herabrinnt
liegt mein Gesicht
unter meinen Tränen.

(4)

Oh der Wildnis wildeste Blume
lächelte mir

Oh der Nacht nächtigste Locke
schlief bei mir:

Oh daß ich nie vergesse
wie schön es war

wenn Gram beschattet
was nicht mehr ist.

(5)

Am Abend fing die rosa Hyazinthe
süß zu duften an
und unaufhaltsam entströmte ihr die Seele.

Nie kehrte sie zurück zur welken Blüte.

Wer aber klagte über dies —

Nur mit Entzücken erinnern wir uns ihrer
um zu sagen
O wie unvergeßlich süß
die rosa Hyazinthe duftete an jenem Abend.

Der Salzsee

Der Mond leckt wie ein Wintertier das Salz deiner Hände,
Doch schäumt dein Haar violett wie ein Fliederbusch,
In dem das erfahrene Käuzchen ruft.

Da steht für uns erbaut die gesuchte Traumstadt,
In der die Straßen alle schwarz und weiß sind.
Du gehst im Glitzerschnee der Verheißung,
Mir sind gelegt die Schienen der dunklen Vernunft.

Die Häuser sind mit Kreide gegen den Himmel gezeichnet
Und ihre Türen bleigegossen;
Nur oben unter Giebeln wachsen gelbe Kerzen
Wie Nägel zu zahllosen Särgen.

Doch bald gelangen wir hinaus zum Salzsee.
Da lauern uns die langgeschnäbelten Eisvögel auf,
Die ich die ganze Nacht mit nackten Händen bekämpfe,
Bevor uns ihre warmen Daunen zum Lager dienen.

Der Regenpalast

Ich hab dir einen Regenpalast erbaut
Aus Alabastersäulen und Bergkristall
    Daß du in tausend Spiegeln
    Immer schöner dich für mich wandelst

Die Wasserpalme nährt uns mit grauem Most
Aus hohen Krügen trinken wir silbernen Wein
    Welch ein perlmutternes Konzert!
    Trunkne Libelle im Regenurwald!

Im Käfig der Lianen ersehnst du mich
Die Zauberbienen saugen das Regenblut
    Aus deinen blauen Augenkelchen
    Singende Reiher sind deine Wächter

Aus Regenfenstern blicken wir wie die Zeit
Mit Regenfahnen über das Meer hinweht
  Und mit dem Schlachttheer fremder Stürme
  Elend in alten Morästen endet

Mit Regendiamenten bekleid ich dich
Heimlicher Maharadscha des Regenreichs
  Des Wert und Recht gewogen wird
  Nach den gesegneten Regenjahren

Du aber strickst mir verstohlen im Perlensaal
Durchwirkt von Hanf und Träne ein Regentuch
  Ein Leichentuch breit für uns beide
  Bis in die Ewigkeit warm und haltbar

Der schöne strahlende Mensch

Die Freunde, die mit mir sich unterhalten,
Sonst oft mißmutig, leuchten vor Vergnügen,
Lustwandeln sie in meinen schönen Zügen
Wohl Arm in Arm, veredelte Gestalten.

Ach, mein Gesicht kann niemals Würde halten,
Und Ernst und Gleichmut will ihm nicht genügen,
Weil tausend Lächeln in erneuten Flügen
Sich ewig seinem Himmelsbild entfalten.

Ich bin ein Korso auf besonnten Plätzen,
Ein Sommerfest mit Frauen und Bazaren,
Mein Auge bricht von allzuviel Erhelltsein.

Ich will mich auf den Rasen niedersetzen,
Und mit der Erde in den Abend fahren.
Oh Erde, Abend, Glück, oh auf der Welt sein!!

Als mich dein Wandeln an den Tod verzückte

Als mich dein Dasein tränenwärts entrückte,
Und ich durch dich ins Unermeßne schwärmte,
Erlebten diesen Tag nicht Abgehärmte,
Mühselig Millionen Unterdrückte?

Als mich dein Wandeln an den Tod verzückte,
War Arbeit um uns und die Erde lärmte,
Und Leere gab es, Gottlos-Unerwärmte,
Es lebten und es starben Niebeglückte.

Da ich von dir geschwellt war zum Entschweben,
So viele waren, die im Dumpfen stampften,
An Pulten schrumpften und vor Kesseln dampften.

Ihr Keuchenden auf Straßen und auf Flüssen,
Gibt es ein Gleichgewicht in Welt und Leben,
Wie werd ich diese Schuld bezahlen müssen!?

Hekuba

Manchmal geht sie durch die Nacht der Erde,
Sie, das schwerste ärmste Herz der Erde.
Wehet langsam unter Laub und Sternen,
Weht durch Weg und Tür und Atemwandern,
Alte Mutter, elendste der Mütter.

So viel Milch war einst in diesen Brüsten,
So viel Söhne gab es zu betreuen.
Weh dahin! — Nun weht sie nachts auf Erden,
Alte Mutter, Kern der Welt, erloschen,
Wie ein kalter Stern sich weiterwälzet.

Unter Stern und Laub weht sie auf Erden,
Nachts durch tausend ausgelöschte Zimmer,
Wo die Mütter schlafen, junge Weiber,
Weht vorüber an den Gitterbetten
Und dem hellen runden Schlaf der Kinder.

Manchmal hält am Haupt sie eines Bettes,
Und sie sieht sich um mit solchem Wehe,
Sie, ein dürftiger Wind, von Schmerz gestaltet,
Daß der Schmerz in ihr Gestalt erst findet,
Und das Licht in toten Lampen aufweint.

Und die Frauen steigen aus den Betten,
Wie sie fortweht, nackten schweren Schrittes,
Sitzen lange an dem Schlaf der Kinder,
Schauen langsam in die Zimmertrübe,
Tränen habend unbegriffnen Wehes.

Vom armen B. B.

Ich, Bertolt Brecht, bin aus den schwarzen Wäldern.
Meine Mutter trug mich in die Städte hinein
Als ich in ihrem Leibe lag. Und die Kälte der Wälder
Wird in mir bis zu meinem Absterben sein.

In der Asphaltstadt bin ich daheim. Von allem Anfang
Versehen mit jedem Sterbsakrament:
Mit Zeitungen. Und Tabak. Und Branntwein.
Mißtrauisch und faul und zufrieden am End.

Ich bin zu den Leuten freundlich. Ich setze
Einen steifen Hut auf nach ihrem Brauch.
Ich sage: es sind ganz besonders riechende Tiere
Und ich sage: es macht nichts, ich bin es auch.

In meine leeren Schaukelstühle vormittags
Setze ich mir mitunter ein paar Frauen
Und ich betrachte sie sorglos und sage ihnen:
In mir habt ihr einen, auf den könnt ihr nicht bauen.

Gegen abends versammle ich um mich Männer
Wir reden uns da mit „Gentleman" an
Sie haben ihre Füße auf meinen Tischen
Und sagen: es wird besser mit uns. Und ich frage nicht: wann.

Gegen Morgen in der grauen Frühe pissen die Tannen
Und ihr Ungeziefer, die Vögel, fängt an zu schrein.
Um die Stunde trinke ich mein Glas in der Stadt aus
                                        und schmeiße
Den Tabakstummel weg und schlafe beunruhigt ein.

Wir sind gesessen ein leichtes Geschlechte
In Häusern, die für unzerstörbare galten
(So haben wir gebaut die langen Gehäuse des Eilands
                                        Manhattan
Und die dünnen Antennen, die das Atlantische Meer
                                        unterhalten).

Von diesen Städten wird bleiben: der durch sie hindurch-
ging, der Wind!
Fröhlich machet das Haus den Esser: er leert es.
Wir wissen, daß wir Vorläufige sind
Und nach uns wird kommen: nichts Nennenswertes.

Bei den Erdbeben, die kommen werden, werde ich
hoffentlich
Meine Virginia nicht ausgehen lassen durch Bitterkeit
Ich, Bertolt Brecht, in die Asphaltstädte verschlagen
Aus den schwarzen Wäldern in meiner Mutter in früher Zeit.

Erinnerung an die Marie A.

An jenem Tag im blauen Mond September
Still unter einem jungen Pflaumenbaum
Da hielt ich sie, die stille bleiche Liebe
In meinem Arm wie einen holden Traum.
Und über uns im schönen Sommerhimmel
War eine Wolke, die ich lange sah
Sie war sehr weiß und ungeheuer oben
Und als ich aufsah, war sie nimmer da.

Seit jenem Tag sind viele, viele Monde
Geschwommen still hinunter und vorbei
Die Pflaumenbäume sind wohl abgehauen
Und fragst du mich, was mit der Liebe sei?
So sag ich dir: Ich kann mich nicht erinnern.
Und doch, gewiß, ich weiß schon, was du meinst
Doch ihr Gesicht, das weiß ich wirklich nimmer
Ich weiß nur mehr: Ich küßte es dereinst.

Und auch den Kuß, ich hätt' ihn längst vergessen
Wenn nicht die Wolke da gewesen wär
Die weiß ich noch und werd ich immer wissen
Sie war sehr weiß und kam von oben her.

Die Pflaumenbäume blühn vielleicht noch immer
Und jene Frau hat jetzt vielleicht das siebte Kind
Doch jene Wolke blühte nur Minuten
Und als ich aufsah, schwand sie schon im Wind.

Vom Schwimmen in Seen und Flüssen

Im bleichen Sommer, wenn die Winde oben
Nur in dem Laub der großen Bäume sausen
Muß man in Flüssen liegen oder Teichen
Wie die Gewächse, worin Hechte hausen.
Der Leib wird leicht im Wasser. Wenn der Arm
Leicht aus dem Wasser in den Himmel fällt
Wiegt ihn der kleine Wind vergessen
Weil er ihn wohl für braunes Astwerk hält.

Der Himmel bietet mittags große Stille.
Man macht die Augen zu, wenn Schwalben kommen.
Der Schlamm ist warm. Wenn kühle Blasen quellen
Weiß man: ein Fisch ist jetzt durch uns geschwommen.
Mein Leib, die Schenkel und der stille Arm
Wir liegen still im Wasser, ganz geeint
Nur wenn die kühlen Fische durch uns schwimmen
Fühl ich, daß Sonne überm Tümpel scheint.

Wenn man am Abend von dem langen Liegen
Sehr faul wird, so, daß alle Glieder beißen
Muß man das alles, ohne Rücksicht, klatschend
In blaue Flüsse schmeißen, die sehr reißen.
Am besten ist's, man hält's bis Abend aus.
Weil dann der bleiche Haifischhimmel kommt
Bös und gefräßig über Fluß und Sträuchern
Und alle Dinge sind, wie's ihnen frommt.

Natürlich muß man auf dem Rücken liegen
So wie gewöhnlich. Und sich treiben lassen.
Man muß nicht schwimmen, nein, nur so tun, als
Gehöre man einfach zu Schottermassen.
Man soll den Himmel anschaun und so tun
Als ob einen ein Weib trägt, und es stimmt.
Ganz ohne großen Umtrieb, wie der liebe Gott tut
Wenn er am Abend noch in seinen Flüssen schwimmt.

Von der Kindesmörderin Marie Farrar

Marie Farrar, geboren im April
Unmündig, merkmallos, rachitisch, Waise
Bislang angeblich unbescholten, will
Ein Kind ermordet haben in der Weise:
Sie sagt, sie habe schon im zweiten Monat
Bei einer Frau in einem Kellerhaus
Versucht, es abzutreiben mit zwei Spritzen
Angeblich schmerzhaft, doch gings nicht heraus.
    Doch ihr, ich bitte euch, wollt nicht in Zorn verfallen
    Denn alle Kreatur braucht Hilf von allen.

Sie habe dennoch, sagt sie, gleich bezahlt
Was ausgemacht war, sich fortan geschnürt
Auch Sprit getrunken, Pfeffer drin vermahlt
Doch habe sie das nur stark abgeführt.
Ihr Leib sei zusehends geschwollen, habe
Auch stark geschmerzt, beim Tellerwaschen oft.
Sie selbst sei, sagt sie, damals noch gewachsen.
Sie habe zu Marie gebetet, viel erhofft.
    Auch ihr, ich bitte euch, wollt nicht in Zorn verfallen
    Denn alle Kreatur braucht Hilf von allen.

Doch die Gebete hätten, scheinbar, nichts genützt.
Es war auch viel verlangt. Als sie dann dicker war
Hab' ihr in Frühmetten geschwindelt. Oft hab' sie geschwitzt
Auch Angstschweiß, häufig unter dem Altar.
Doch hab' den Zustand sie geheim gehalten
Bis die Geburt sie nachher überfiel.
Es sei gegangen, da wohl niemand glaubte
Daß sie, sehr reizlos, in Versuchung fiel.
    Und ihr, ich bitte euch, wollt nicht in Zorn verfallen
    Denn alle Kreatur braucht Hilf von allen.

An diesem Tag, sagt sie, in aller Früh
Ist ihr beim Stiegenwischen so, als krallten
Ihr Nägel in den Bauch. Es schüttelt sie.
Jedoch gelingt es ihr, den Schmerz geheim zu halten.
Den ganzen Tag, es ist beim Wäschehängen
Zerbricht sie sich den Kopf; dann kommt sie drauf
Daß sie gebären sollte, und es wird ihr
Gleich schwer ums Herz. Erst spät geht sie hinauf.
    Doch ihr, ich bitte euch, wollt nicht in Zorn verfallen
    Denn alle Kreatur braucht Hilf von allen.

Man holte sie noch einmal, als sie lag:
Schnee war gefallen und sie mußte kehren.
Das ging bis elf. Es war ein langer Tag.
Erst in der Nacht konnte sie in Ruhe gebären.
Und sie gebar, so sagt sie, einen Sohn.
Der Sohn war ebenso wie andere Söhne.
Doch sie war nicht so wie die andcren, obschon:
Es liegt kein Grund vor, daß ich sie verhöhne.
    Auch ihr, ich bitte euch, wollt nicht in Zorn verfallen
    Denn alle Kreatur braucht Hilf von allen.

So will ich also weiter denn erzählen
Wie es mit diesem Sohn geworden ist
(Sie wollte davon, sagt sie, nichts verhehlen)
Damit man sieht, wie ich bin und du bist.
Sie sagt, sie sei, nur kurz im Bett, von Übel-
keit stark befallen worden und, allein
Hab' sie, nicht wissend, was geschehen sollte
Mit Mühe sich bezwungen, nicht zu schrein.
  Und ihr, ich bitte euch, wollt nicht in Zorn verfallen
  Denn alle Kreatur braucht Hilf von allen.

Mit letzter Kraft hab' sie, so sagt sie, dann
Da ihre Kammer auch eiskalt gewesen
Sich zum Abort geschleppt und dort auch (wann
Weiß sie nicht mehr) geborn ohn Federlesen
So gegen Morgen. Sie sei, sagt sie
Jetzt ganz verwirrt gewesen, habe dann
Halb schon erstarrt, das Kind kaum halten können
Weil es in den Gesindabort hereinschnein kann.
  Auch ihr, ich bitte euch, wollt nicht in Zorn verfallen
  Denn alle Kreatur braucht Hilf von allen.

Dann zwischen Kammer und Abort, vorher, sagt sie
Sei noch gar nichts gewesen, fing das Kind
Zu schreien an, das hab sie so verdrossen, sagt sie
Daß sie's mit beiden Fäusten ohn Aufhörn, blind
Solang geschlagen habe, bis es still war, sagt sie.
Hierauf hab' sie das Tote noch gradaus
Zu sich ins Bett genommen für den Rest der Nacht
Und es versteckt am Morgen in dem Wäschehaus.
  Doch ihr, ich bitte euch, wollt nicht in Zorn verfallen
  Denn alle Kreatur braucht Hilf von allen.

Marie Farrar, geboren im April
Gestorben im Gefängnishaus zu Meißen
Ledige Kindesmutter, abgeurteilt, will
Euch die Gebrechen aller Kreatur erweisen.
Ihr, die ihr gut gebärt in saubern Wochenbetten
Und nennt „gesegnet" euren schwangeren Schoß
Wollt nicht verdammen die verworfnen Schwachen.
Denn ihre Sünd war schwer, doch ihr Leid groß.
    Darum, ich bitte euch, wollt nicht in Zorn verfallen
    Denn alle Kreatur braucht Hilf von allen.

Wiegenlied

Mein Sohn, was immer auch aus dir werde
Sie stehn mit Knüppeln bereit schon jetzt
Denn für dich, mein Sohn, ist auf dieser Erde
Nur der Schuttablagerungsplatz da, und der ist besetzt.

Mein Sohn, laß es dir von deiner Mutter sagen:
Auf dich wartet ein Leben, schlimmer als die Pest.
Aber ich habe dich nicht dazu ausgetragen
Daß du dir das einmal ruhig gefallen läßt.

Was du nicht hast, das gib nicht verloren.
Was sie dir nicht geben, sieh zu, daß du's kriegst.
Ich, deine Mutter, habe dich nicht geboren
Daß du einst des Nachts unter Brückenbogen liegst.

Vielleicht bist du nicht aus besonderem Stoffe
Ich habe nicht Geld für dich noch Gebet
Und ich baue auf dich allein, wenn ich hoffe
Daß du nicht an Stempelstellen lungerst und deine Zeit
                                        vergeht.

Wenn ich nachts schlaflos neben dir liege
Fühle ich oft nach deiner kleinen Faust.
Sicher, sie planen mit dir jetzt schon Kriege —
Was soll ich nur machen, daß du nicht ihren dreckigen
Lügen traust?

Deine Mutter, mein Sohn, hat dich nicht betrogen
Daß du etwas ganz Besonderes seist
Aber sie hat dich auch nicht mit Kummer aufgezogen
Daß du einst im Stacheldraht hängst und nach Wasser
schreist.

Mein Sohn, darum halte dich an deinesgleichen
Damit ihre Macht wie ein Staub zerstiebt.
Du, mein Sohn, und ich und alle unsresgleichen
Müssen zusammenstehn und müssen erreichen
Daß es auf dieser Welt nicht mehr zweierlei Menschen gibt.

Legende vom toten Soldaten

Und als der Krieg im fünften Lenz
Keinen Ausblick auf Frieden bot
Da zog der Soldat seine Konsequenz
Und starb den Heldentod.

Der Krieg war aber noch nicht gar
Drum tat es dem Kaiser leid
Daß sein Soldat gestorben war:
Es schien ihm noch vor der Zeit.

Der Sommer zog über die Gräber her
Und der Soldat schlief schon
Da kam eines Nachts eine militär-
ische ärztliche Kommission.

Es zog die ärztliche Kommission
Zum Gottesacker hinaus
Und grub mit geweihtem Spaten den
Gefallnen Soldaten aus.

Und der Doktor besah den Soldaten genau
Oder was von ihm noch da war
Und der Doktor fand, der Soldat war k. v.
Und er drücke sich vor der Gefahr.

Und sie nahmen sogleich den Soldaten mit
Die Nacht war blau und schön.
Man konnte, wenn man keinen Helm aufhatte
Die Sterne der Heimat sehn.

Sie schütteten ihm einen feurigen Schnaps
In den verwesten Leib
Und hängten zwei Schwestern in seinen Arm
Und sein halb entblößtes Weib.

Und weil der Soldat nach Verwesung stinkt
Drum hinkt ein Pfaffe voran
Der über ihn ein Weihrauchfaß schwingt
Daß er nicht stinken kann.

Voran die Musik mit Tschindrara
Spielt einen flotten Marsch.
Und der Soldat, so wie er's gelernt
Schmeißt seine Beine vom Arsch.

Und brüderlich den Arm um ihn
Zwei Sanitäter gehn
Sonst flög er noch in den Dreck ihnen hin
Und das darf nicht geschehn.

Sie malten auf sein Leichenhemd
Die Farben schwarz-weiß-rot
Und trugen's vor ihm her; man sah
Vor Farben nicht mehr den Kot.

Ein Herr im Frack schritt auch voran
Mit einer gestärkten Brust
Der war sich als ein deutscher Mann
Seiner Pflicht genau bewußt.

So zogen sie mit Tschindrara
Hinab die dunkle Chaussee
Und der Soldat zog taumelnd mit
Wie im Sturm die Flocke Schnee.

Die Katzen und die Hunde schrein
Die Ratzen im Feld pfeifen wüst:
Sie wollen nicht französisch sein
Weil das eine Schande ist.

Und wenn sie durch die Dörfer ziehn
Waren alle Weiber da.
Die Bäume verneigten sich. Vollmond schien.
Und alles schrie hurra!

Mit Tschindrara und Wiedersehn!
Und Weib und Hund und Pfaff!
Und mitten drin der tote Soldat
Wie ein besoffner Aff.

Und wenn sie durch die Dörfer ziehn
Kommt's, daß ihn keiner sah
So viele waren herum um ihn
Mit Tschindra und Hurra.

So viele tanzten und johlten um ihn
Daß ihn keiner sah.
Man konnte ihn einzig von oben noch sehn
Und da sind nur Sterne da.

Die Sterne sind nicht immer da.
Es kommt ein Morgenrot.
Doch der Soldat, so wie er's gelernt
Zieht in den Heldentod.

Das Lied vom Wasserrad

Von den Großen dieser Erde
Melden uns die Heldenlieder:
Steigend auf so wie Gestirne
Gehn sie wie Gestirne nieder.
Das klingt tröstlich, und man muß es wissen.
Nur: für uns, die wir sie nähren müssen
Ist das leider immer ziemlich gleich gewesen.
Aufstieg oder Fall: wer trägt die Spesen?
　　Freilich dreht das Rad sich immer weiter
　　Daß, was oben ist, nicht oben bleibt.
　　Aber für das Wasser unten heißt das leider
　　Nur: daß es das Rad halt ewig treibt.

Ach, wir hatten viele Herren
Hatten Tiger und Hyänen
Hatten Adler, hatten Schweine
Doch wir nährten den und jenen.
Ob sie besser waren oder schlimmer:
Ach, der Stiefel glich dem Stiefel immer,
Und uns trat er. Ihr versteht, ich meine
Daß wir keine andern Herren brauchen, sondern keine!
　　Freilich dreht das Rad sich immer weiter
　　Daß, was oben ist, nicht oben bleibt.
　　Aber für das Wasser unten heißt das leider
　　Nur: daß es das Rad halt ewig treibt.

Und sie schlagen sich die Köpfe
Blutig, raufend um die Beute
Nennen andre gierige Tröpfe
Und sich selber gute Leute.
Unaufhörlich sehn wir sie einander grollen
Und bekämpfen. Einzig und alleinig

Wenn wir sie nicht mehr ernähren wollen
Sind sie sich auf einmal völlig einig.
  Denn dann dreht das Rad sich nicht mehr weiter
  Und das heitre Spiel, es unterbleibt
  Wenn das Wasser endlich mit befreiter
  Stärke seine eigne Sach' betreibt.

Schlußgesang aus der Dreigroschen Oper

Verfolgt das kleine Unrecht nicht zu sehr, in Bälde
Erfriert es schon von selbst, denn es ist kalt:
Bedenkt das Dunkel und die große Kälte
In diesem Tale, das von Jammer schallt.
Zieht gen die großen Räuber jetzt zu Felde
Und fällt sie allesamt und fällt sie bald:
Von ihnen rührt das Dunkel und die Kälte
Sie machen, daß dies Tal von Jammer schallt.

Legende von der Entstehung des Buches Taoteking auf dem Wege des Laotse in die Emigration

Als er siebzig war und war gebrechlich
Drängte es den Lehrer doch nach Ruh
Denn die Güte war im Lande wieder einmal schwächlich
Und die Bosheit nahm an Kräften wieder einmal zu.
Und er gürtete den Schuh.

Und er packte ein, was er so brauchte:
Wenig. Doch es wurde dies und das.
So die Pfeife, die er immer abends rauchte
Und das Büchlein, das er immer las.
Weißbrot nach dem Augenmaß.

Freute sich des Tals noch einmal und vergaß es
Als er ins Gebirg den Weg einschlug.
Und sein Ochse freute sich des frischen Grases
Kauend, während er den Alten trug.
Denn dem ging es schnell genug.

Doch am vierten Tag im Felsgesteine
Hat ein Zöllner ihm den Weg verwehrt:
,,Kostbarkeiten zu verzollen?'' — ,,Keine''.
Und der Knabe, der den Ochsen führte, sprach: ,,Er hat
    gelehrt.''
Und so war auch das erklärt.

Doch der Mann, in einer heitren Regung
Fragte noch: ,,Hat er was rausgekriegt?''
Sprach der Knabe: ,,Daß das weiche Wasser in Bewegung
Mit der Zeit den mächtigen Stein besiegt.
Du verstehst, das Harte unterliegt.''

Daß er nicht das letzte Tageslicht verlöre
Trieb der Knabe nun den Ochsen an.
Und die drei verschwanden schon um eine schwarze Föhre
Da kam plötzlich Fahrt in unsern Mann
Und er schrie: ,,He, du! Halt an!

Was ist das mit diesem Wasser, Alter?''
Hielt der Alte: ,,Interessiert es dich?''
Sprach der Mann: ,,Ich bin nur Zollverwalter
Doch wer wen besiegt, das interessiert auch mich.
Wenn du weißt, dann sprich!

Schreib mir's auf! Diktier es diesem Kinde!
So was nimmt man doch nicht mit sich fort.
Da gibt's doch Papier bei uns und Tinte
Und ein Nachtmahl gibt es auch: ich wohne dort.
Nun, ist das ein Wort?''

Über seine Schulter sah der Alte
Auf den Mann: Flickjoppe. Keine Schuh.
Und die Stirne eine einzige Falte.
Ach, kein Sieger trat da auf ihn zu.
Und er murmelte: „Auch du?"

Eine höfliche Bitte abzuschlagen
War der Alte, wie es schien, zu alt.
Denn er sagte laut: „Die etwas fragen
Die verdienen Antwort." Sprach der Knabe: „Es wird auch
    schon kalt."
„Gut, ein kleiner Aufenthalt."

Und von seinem Ochsen stieg der Weise
Sieben Tage schrieben sie zu zweit
Und der Zöllner brachte Essen (und er fluchte nur
    noch leise
Mit den Schmugglern in der ganzen Zeit.)
Und dann war's so weit.

Und dem Zöllner händigte der Knabe
Eines Morgens einundachzig Sprüche ein
Und mit Dank für eine kleine Reisegabe
Bogen sie um jene Föhre ins Gestein.
Sagt jetzt: kann man höflicher sein?

Aber rühmen wir nicht nur den Weisen
Dessen Name auf dem Buche prangt!
Denn man muß dem Weisen seine Weisheit erst entreißen.
Darum sei der Zöllner auch bedankt:
Er hat sie ihm abverlangt.

Gesänge · I

O daß wir unsere Ururahnen wären.
Ein Klümpchen Schleim in einem warmen Moor.
Leben und Tod, Befruchten und Gebären
glitte aus unseren stummen Säften vor.

Ein Algenblatt oder ein Dünenhügel,
vom Wind Geformtes und nach unten schwer.
Schon ein Libellenkopf, ein Möwenflügel
wäre zu weit und litte schon zu sehr.

II

Verächtlich sind die Liebenden, die Spötter,
alles Verzweifeln, Sehnsucht, und wer hofft.
Wir sind so schmerzliche durchseuchte Götter
und dennoch denken wir des Gottes oft.

Die weiche Bucht. Die dunklen Wälderträume.
Die Sterne, schneeballblütengroß und schwer.
Die Panther springen lautlos durch die Bäume.
Alles ist Ufer. Ewig ruft das Meer — —

D-Zug

Braun wie Kognak. Braun wie Laub. Rotbraun. Malaiengelb.
D-Zug Berlin-Trelleborg und die Ostseebäder.

Fleisch, das nackt ging.
Bis in den Mund gebräunt vom Meer.
Reif gesenkt, zu griechischem Glück.
In Sichel-Sehnsucht: wie weit der Sommer ist!
Vorletzter Tag des neunten Monats schon!

Stoppel und letzte Mandel lechzt in uns.
Entfaltungen, das Blut, die Müdigkeiten,
die Georginennähe macht uns wirr.

Männerbraun stürzt sich auf Frauenbraun:

Eine Frau ist etwas für eine Nacht:
Und wenn es schön war, noch für die nächste!
Oh! Und dann wieder dies Bei-sich-selbst-sein!
Diese Stummheiten! Dies Getriebenwerden!

Eine Frau ist etwas mit Geruch.
Unsägliches! Stirb hin! Resede.
Darin ist Süden, Hirt und Meer.
An jedem Abhang lehnt ein Glück.

Frauenhellbraun taumelt an Männerdunkelbraun:

Halte mich! Du, ich falle!
Ich bin im Nacken so müde.
Oh, dieser fiebernde süße
letzte Geruch aus den Gärten.

Regressiv

Ach, nicht in dir, nicht in Gestalten
der Liebe, in des Kindes Blut,
in keinem Wort, in keinem Walten
ist etwas, wo dein Dunkel ruht.

Götter und Tiere — alles Faxen.
Schöpfer und Schieber, ich und du —
Bruch, Katafalk, von Muscheln wachsen
die Augen zu.

Nur manchmal dämmert's: in Gerüchen
vom Strand, Korallenkolorit,
in Spaltungen, in Niederbrüchen
hebst du der Nacht das schwere Lid:

am Horizont die Schleierfähre,
stygische Blüten, Schlaf und Mohn,
die Träne wühlt sich in die Meere —
dir: thalassale Regression.

Sieh die Sterne, die Fänge

Sieh die Sterne, die Fänge
Lichts und Himmel und Meer,
welche Hirtengesänge,
dämmende, treiben sie her,
du auch, die Stimmen gerufen
und deinen Kreis durchdacht,
folge die schweigenden Stufen
abwärts dem Boten der Nacht.

Wenn du die Mythen und Worte
entleert hast, sollst du gehn,
eine neue Götterkohorte
wirst du nicht mehr sehn,
nicht ihre Euphratthrone,
nicht ihre Schrift und Wand —,
gieße, Myrmidone,
den dunklen Wein ins Land.

Wie dann die Stunden auch hießen,
Qual und Tränen des Seins,
alles blüht im Verfließen
dieses nächtigen Weins,
schweigend strömt die Äone,
kaum noch von Ufern ein Stück —,
gib nun dem Boten die Krone,
Traum und Götter zurück.

Tag, der den Sommer endet

Tag, der den Sommer endet,
Herz, dem das Zeichen fiel:
die Flammen sind versendet,
die Fluten und das Spiel.

Die Bilder werden blasser,
entrücken sich der Zeit,
wohl spiegelt sie noch ein Wasser,
doch auch dies Wasser ist weit.

Du hast eine Schlacht erfahren,
trägst noch ihr Stürmen, ihr Fliehn,
indessen die Schwärme, die Scharen,
die Heere weiter ziehn.

Rosen und Waffenspanner,
Pfeile und Flammen weit — :
die Zeichen sinken, die Banner — :
Unwiederbringlichkeit.

Astern

Astern —, schwälende Tage,
alte Beschwörung, Bann,
die Götter halten die Waage
eine zögernde Stunde an.

Noch einmal die goldenen Herden
der Himmel, das Licht, der Flor,
was brütet das alte Werden
unter den sterbenden Flügeln vor?

Noch einmal das Ersehnte,
den Rausch, der Rosen Du —,
der Sommer stand und lehnte
und sah den Schwalben zu,

noch einmal ein Vermuten,
wo längst Gewißheit wacht:
die Schwalben streifen die Fluten
und trinken Fahrt und Nacht.

Nebel

Ach, du zerrinnender
und schon gestürzter Laut,
eben beginnender
Lust vom Munde getaut,
ach, so zerrinnst du,
Stunde, und hast kein Sein,
ewig schon spinnst du
weit in die Nebel dich ein.

Ach, wir sagen es immer,
daß es nie enden kann,
und vergessen den Schimmer
Schnees des neige d'antan,
in das durchküßte, durchtränte
nächtedurchschluchzte Sein
strömt das Fließend-Entlehnte,
spinnen die Nebel sich ein.

Ach, wir rufen und leiden
ältesten Göttern zu:
ewig über uns beiden
,,immer und alles: du",
aber den Widdern, den Zweigen,
Altar und Opferstein,
hoch zu den Göttern, die schweigen,
spinnen die Nebel sich ein.

Verlorenes Ich

Verlorenes Ich, zersprengt von Stratosphären,
Opfer des Ion — : Gamma-Strahlen-Lamm —,
Teilchen und Feld — : Unendlichkeitschimären
auf deinem grauen Stein von Notre-Dame.

Die Tage gehn dir ohne Nacht und Morgen,
die Jahre halten ohne Schnee und Frucht
bedrohend das Unendliche verborgen —,
die Welt als Flucht.

Wo endest du, wo lagerst du, wo breiten
sich deine Sphären an —, Verlust, Gewinn — :
Ein Spiel von Bestien, Ewigkeiten,
an ihren Gittern fliehst du hin.

Der Bestienblick: die Sterne als Kaldaunen,
der Dschungeltod als Seins- und Schöpfungsgrund,
Mensch, Völkerschlachten, Katalaunen
hinab den Bestienschlund.

Die Welt zerdacht. Und Raum und Zeiten
Und was die Menscheit wob und wog,
Funktion nur von Unendlichkeiten —,
Die Mythe log.

Woher, wohin —, nicht Nacht, nicht Morgen,
kein Evoë, kein Requiem,
du möchtest dir ein Stichwort borgen —,
allein bei wem?

Ach, als sich alle einer Mitte neigten
und auch die Denker nur den Gott gedacht,
sie sich dem Hirten und dem Lamm verzweigten,
wenn aus dem Kelch das Blut sie rein gemacht,

und alle rannen aus der einen Wunde,
brachen das Brot, das jeglicher genoß —,
oh ferne zwingende erfüllte Stunde,
die einst auch das verlorne Ich umschloß.

Einsamer nie

Einsamer nie als im August:
Erfüllungsstunde —, im Gelände
die roten und die goldenen Brände,
doch wo ist deiner Gärten Lust?

Die Seen hell, die Himmel weich,
die Äcker rein und glänzen leise,
doch wo sind Sieg und Siegsbeweise
aus dem von dir vertretenen Reich?

Wo alles sich durch Glück beweist
Und tauscht den Blick und tauscht die Ringe
im Weingeruch, im Rausch der Dinge —:
dienst du dem Gegenglück, dem Geist.

Ein Wort

Ein Wort, ein Satz —: aus Chiffern steigen
erkanntes Leben, jäher Sinn,
die Sonne steht, die Sphären schweigen
und alles ballt sich zu ihm hin.

Ein Wort —, ein Glanz, ein Flug, ein Feuer,
ein Flammenwurf, ein Sternenstrich —,
und wieder Dunkel, ungeheuer,
im leeren Raum um Welt und Ich.

IV

Drei Hasen

Drei Hasen tanzen im Mondschein
im Wiesenwinkel am See:
Der eine ist ein Löwe,
der andre eine Möwe,
der dritte ist ein Reh.

Wer fragt, der ist gerichtet,
hier wird nicht kommentiert,
hier wird an sich gedichtet;
doch fühlst du dich verpflichtet,
erheb sie ins Geviert
und füge dazu den Purzel
aus einem Purzelbaum,
und zieh aus dem Ganzen die Wurzel
und träum den Extrakt als Traum.

Dann wirst du die Hasen sehen,
im Wiesenwinkel am See,
wie sie auf silbernen Zehen
im Mond sich wunderlich drehen
als Löwe, Möwe und Reh.

Der Werwolf

Ein Werwolf eines Nachts entwich
von Weib und Kind und sich begab
an eines Dorfschulmeisters Grab
und bat ihn: „Bitte, beuge mich!"

Der Dorfschulmeister stieg hinauf
auf seines Blechschilds Messingknauf
und sprach zum Wolf, der seine Pfoten
geduldig kreuzte vor dem Toten:

„Der Werwolf," sprach der gute Mann,
„des Weswolfs, Genitiv sodann,
dem Wemwolf, Dativ, wie mans nennt,
den Wenwolf, — damit hats ein End."

Dem Werwolf schmeichelten die Fälle,
er rollte seine Augenbälle.
„Indessen," bat er, „füge doch
zur Einzahl auch die Mehrzahl noch!"

Der Dorfschulmeister aber mußte
gestehn, daß er von ihr nichts wußte.
Zwar Wölfe gäbs in großer Schar,
doch „Wer" gäbs nur im Singular.

Der Wolf erhob sich tränenblind —
er hatte ja doch Weib und Kind!!
Doch da er kein Gelehrter eben,
so schied er dankend und ergeben.

Der Tanz

Ein Vierviertelschwein und eine Auftakteule
trafen sich im Schatten einer Säule,
die im Geiste ihres Schöpfers stand.
Und zum Spiel der Fiedelbogenpflanze
reichten sich die zwei zum Tanze
Fuß und Hand.

Und auf seinen dreien rosa Beinen
hüpfte das Vierviertelschwein graziös,
und die Auftakteul auf ihrem einen
wiegte rhythmisch ihr Gekrös.
Und der Schatten fiel,
und der Pflanze Spiel
klang verwirrend melodiös.

Doch des Schöpfers Hirn war nicht von Eisen,
und die Säule schwand, wie sie gekommen war;
und so mußte denn auch unser Paar
wieder in sein Nichts zurücke reisen.
Einen letzten Strich
tat der Geigerich —
und dann war nichts weiter zu beweisen.

Der Gaul

Es läutet beim Professor Stein.
Die Köchin rupft die Hühner.
Die Minna geht: Wer kann das sein? —
   Ein Gaul steht vor der Türe.

Die Minna wirft die Türe zu.
Die Köchin kommt: Was gibts denn?
Das Fräulein kommt im Morgenschuh.
   Es kommt die ganze Familie.

,,Ich bin, verzeihn Sie,'' spricht der Gaul,
,,der Gaul vom Tischler Bartels.
Ich brachte Ihnen dazumaul
   die Tür- und Fensterrahmen!''

Die vierzehn Leute samt dem Mops,
sie stehn, als ob sie träumten.
Das kleinste Kind tut einen Hops,
   die andern stehn wie Bäume.

Der Gaul, da keiner ihn versteht,
schnalzt bloß mal mit der Zunge,
dann kehrt er still sich ab und geht
   die Treppe wieder hinunter.

Die dreizehn schaun auf ihren Herrn,
ob er nicht sprechen möchte.
,,Das war", spricht der Professor Stein,
  ,,ein unerhörtes Erlebnis!" . . .

Die Behörde

Korf erhält vom Polizeibüro
ein geharnischt Formular,
wer er sei und wie und wo.

Welchen Orts er bis anheute war,
welchen Stands und überhaupt,
wo geboren, Tag und Jahr.

Ob ihm überhaupt erlaubt,
hier zu leben und zu welchem Zweck,
wieviel Geld er hat und was er glaubt.

Umgekehrten Falls man ihn vom Fleck
in Arrest verführen würde, und
drunter steht, Borowsky, Heck.

Korf erwidert darauf kurz und rund:
,,Einer hohen Direktion
stellt sich, laut persönlichem Befund,

untig angefertigte Person
als nichtexistent im Eigen-Sinn
bürgerlicher Konvention

vor und aus und zeichnet, wennschonhin
mitbedauernd nebigen Betreff,
Korf. (An die Bezirksbehörde in — .)"

Staunend liests der anbetroffne Chef.

Die Brille

Korf liest gerne schnell und viel;
darum widert ihn das Spiel
all des zwölfmal unerbetnen
Ausgewalzten, Breitgetretnen.

Meistes ist in sechs bis acht
Wörtern völlig abgemacht,
und in ebensoviel Sätzen
läßt sich Bandwurmweisheit schwätzen.

Es erfindet drum sein Geist
etwas, was ihn dem entreißt:
Brillen, deren Energieen
ihm den Text — zusammenziehen!

Beispielsweise dies Gedicht
läse, so bebrillt, man — nicht!
Dreiunddreißig seinesgleichen
gäben erst — Ein — — Fragezeichen!!

Gleichnis

Palmström schwankt als wie ein Zweig im Wind . . .
Als ihn Korf befrägt, warum er schwanke,
meint er: Weil ein lieblicher Gedanke,
wie ein Vogel, zärtlich und geschwind,
auf ein kleines ihn belastet habe —
schwanke er als wie ein Zweig im Wind,
schwingend noch von der willkommnen Gabe . . .

Der Träumer

Palmström stellt ein Bündel Kerzen
auf des Nachttischs Marmorplatte
und verfolgt es beim Zerschmelzen.

Seltsam formt es ein Gebirge
aus herabgeflossner Lava,
bildet Zotteln, Zungen, Schnecken.

Schwankend über dem Gerinne
stehn die Dochte mit den Flammen
gleichwie goldene Zypressen.

Auf den weißen Märchenfelsen
schaut des Träumers Auge Scharen
unverzagter Sonnenpilger.

Die Fingur

Es lacht die Nachtalp-Henne,
es weint die Windhorn-Gans,
es bläst der schwarze Senne
zum Tanz.

Ein Uhu-Tauber turtelt
nach seiner Uhuin.
Ein kleiner Sechs-Elf hurtelt
von Busch zu Busch dahin . . .

Und Wiedergänger gehen,
und Raben rufen kolk,
und aus den Teichen sehen
die Fingur und ihr Volk . . .

Der Wasseresel

Der Wasseresel taucht empor
und legt sich rücklings auf das Moor.

Und ordnet künstlich sein Gebein
im Hinblick auf den Mondenschein:

So, daß der Mond ein Ornament
auf seines Bauches Wölbung brennt . . .

Mit diesem Ornamente naht
er sich der Fingur Wasserstaat.

Und wird von dieser, rings beneidet,
mit einem Doktorhut bekleidet.

Als Lehrer liest er nun am Pult,
wie man durch Geist, Licht und Geduld

verschönern könne, was sonst nicht
in allem dem Geschmack entspricht.

Er stellt zuletzt mit viel Humor
sich selbst als lehrreich Beispiel vor.

„Einst war ich meiner Dummheit Beute," —
so spricht er — „und was bin ich heute?

Ein Kunstwerk der Kulturbegierde,
des Waldes Stolz, des Weihers Zierde!

Seht her, ich bring euch in Person
das Kunsthandwerk als Religion."

Das Einhorn

Das Einhorn lebt von Ort zu Ort
nur noch als Wirtshaus fort.

Man geht hinein zur Abendstund
und sitzt den Stammtisch rund.

Wer weiß! Nach Jahr und Tag sind wir
auch ganz wie jenes Tier

Hotels nur noch, darin man speist —
(so völlig wurden wir zu Geist).

Im ,,Goldnen Menschen" sitzt man dann
und sagt sein Solo an . . .

Scholastikerproblem · I

Wieviel Engel sitzen können
auf der Spitze einer Nadel —
wolle dem dein Denken gönnen,
Leser sonder Furcht und Tadel!

,,Alle!" wirds dein Hirn durchblitzen.
,,Denn die Engel sind doch Geister!
Und ein ob auch noch so feister
Geist bedarf schier nichts zum Sitzen."

Ich hingegen stell den Satz auf:
Keiner! — Denn die nie Erspähten
können einzig nehmen Platz auf
geistlichen Lokalitäten.

II

Kann ein Engel Berge steigen?
Nein. Er ist zu leicht dazu.
Menschenfuß und Menschenschuh
bleibt allein dies Können eigen.

Lockt ihn dennoch dieser Sport,
muß er wieder sich ver-erden
und ein Menschenfräulein werden
etwa namens Zuckertort.

Allerdings bemerkt man immer,
was darin steckt und von wo —
denn ein solches Frauenzimmer
schreitet anders als nur so.

Vice versa

Ein Hase sitzt auf einer Wiese,
des Glaubens, niemand sähe diese.

Doch, im Besitze eines Zeißes,
betrachtet voll gehaltnen Fleißes

vom vis-à-vis gelegnen Berg
ein Mensch den kleinen Löffelzwerg.

Ihn aber blickt hinwiederum
ein Gott von fern an, mild und stumm.

Schiff „Erde"

„Ich will den Kapitän sehn," schrie
die Frau, „den Kapitän, verstehn Sie?" —
„Das ist unmöglich," hieß es. „Gehn Sie!
So gehn Sie doch! Sie sehn ihn nie!"

Das Weib, mit rasender Gebärde:
„So bringen Sie ihm *das* — und *das* —."
(Sie spie die ganze Reling naß.)
Das Schiff, auf dem sie fuhr, hieß „Erde".

Der Tantenmörder

Ich hab' meine Tante geschlachtet,
Meine Tante war alt und schwach;
Ich hatte bei ihr übernachtet
Und grub in den Kisten-Kasten nach.

Da fand ich goldene Haufen,
Fand auch an Papieren gar viel
Und hörte die alte Tante schnaufen
Ohn' Mitleid und Zartgefühl.

Was nutzt es, daß sie sich noch härme —
Nacht war es rings um mich her —
Ich stieß ihr den Dolch in die Därme,
Die Tante schnaufte nicht mehr.

Das Geld war schwer zu tragen,
Viel schwerer die Tante noch.
Ich faßte sie bebend am Kragen
Und stieß sie ins tiefe Kellerloch. —

Ich hab' meine Tante geschlachtet,
Meine Tante war alt und schwach;
Ihr aber, o Richter, ihr trachtet
Meiner blühenden Jugend-Jugend nach.

Brigitte B.

Ein junges Mädchen kam nach Baden,
Brigitte B. war sie genannt,
Fand Stellung dort in einem Laden,
Wo sie gut angeschrieben stand.

Die Dame, schon ein wenig älter,
War dem Geschäfte zugetan,
Der Herr ein höherer Angestellter
Der königlichen Eisenbahn.

Die Dame sagt nun eines Tages,
Wie man zu Nacht gegessen hat:
Nimm dies Paket, mein Kind, und trag' es
Zu der Baronin vor der Stadt.

Auf diesem Wege traf Brigitte
Jedoch ein Individuum,
Das hat an sie nur eine Bitte,
Wenn nicht, dann bringe er sich um.

Brigitte, völlig unerfahren,
Gab sich ihm mehr aus Mitleid hin.
Drauf ging er fort mit ihren Waren
Und ließ sie in der Lage drin.

Sie konnt' es anfangs gar nicht fassen,
Dann lief sie heulend und gestand,
Daß sie sich hat verführen lassen,
Was die Madame begreiflich fand.

Daß aber dabei die Turnüre
Für die Baronin vor der Stadt
Gestohlen worden sei, das schnüre
Das Herz ihr ab, sie hab' sie satt.

Brigitte warf sich vor ihr nieder,
Sie sei gewiß nicht mehr so dumm;
Den Abend aber schlief sie wieder
Bei ihrem Individuum.

Und als Herrschaft dann um Pfingsten
Ausflog mit dem Gesangverein,
Lud sie ihn ohne die geringsten
Bedenken abends zu sich ein.

Sofort ließ er sich alles zeigen,
Den Schreibtisch und den Kassenschrank,
Macht die Papiere sich zu eigen
Und zollt ihr nicht mal mehr den Dank.

Brigitte, als sie nun gesehen,
Was ihr Geliebter angericht',
Entwich auf unhörbaren Zehen
Dem Ehepaar aus dem Gesicht.

Vorgestern hat man sie gefangen,
Es läßt sich nicht erzählen, wo;
Dem Jüngling, der die Tat begangen,
Dem ging es gestern ebenso.

Die Dämmerung

Ein dicker Junge spielt mit einem Teich.
Der Wind hat sich in einem Baum gefangen.
Der Himmel sieht verbummelt aus und bleich,
Als wäre ihm die Schminke ausgegangen.

Auf lange Krücken schief herabgebückt
Und schwatzend kriechen auf dem Feld zwei Lahme.
Ein blonder Dichter wird vielleicht verrückt.
Ein Pferdchen stolpert über eine Dame.

An einem Fenster klebt ein fetter Mann.
Ein Jüngling will ein weiches Weib besuchen.
Ein grauer Clown zieht sich die Stiefel an.
Ein Kinderwagen schreit und Hunde fluchen.

Der Rauch auf dem Felde

Lene Levi lief am Abend
Trippelnd, mit gerafften Röcken,
Durch die langen, leeren Straßen
Einer Vorstadt.

Und sie sprach verweinte, wehe,
Wirre, wunderliche Worte,
Die der Wind warf, daß sie knallten
Wie die Schoten,

Sich an Bäumen blutig ritzten
Und verfetzt an Häusern hingen
Und in diesen tauben Straßen
Einsam starben.

Lene Levi lief, bis alle
Dächer schiefe Mäuler zogen
Und die Fenster Fratzen schnitten
Und die Schatten

Ganz betrunkne Spässe machten —
Bis die Häuser hilflos wurden
Und die stumme Stadt vergangen
War in weiten

Feldern, die der Mond beschmierte . . .
Lenchen nahm aus ihrer Tasche
Eine Kiste mit Zigarren,
Zog sich weinend

Aus und rauchte . . .

Der Athlet

Einer ging in zerrissenen Hausschuhen
Hin und her durch das kleine Zimmer,
Das er bewohnte.
Er sann über die Geschehnisse,
Von denen in dem Abendblatt berichtet war.
Und gähnte traurig, wie nur jemand gähnt,
Der viel und Seltsames gelesen hat —
Und der Gedanke überkam ihn plötzlich,
Wie wohl den Furchtsamen die Gänsehaut
Und wie das Aufstoßen den Übersättigten,
Wie Mutterwehen —
Das große Gähnen sei vielleicht ein Zeichen,
Ein Wink des Schicksals, sich zur Ruh zu legen.
Und der Gedanke ließ ihn nicht mehr los.
Und also fing er an, sich zu entkleiden . . .

Als er ganz nackt war, hantelte er etwas.

Einmal noch den Abend halten
Im versinkenden Gefühl!
Der Gestalten, der Gewalten
Sind zu viel.

Sie umbrausen den verwegnen Leuchter,
Der die Nacht erhellt.
Fiebriger und feuchter
Glänzt das Angesicht der Welt.

Erste Sterne, erste Tropfen regnen,
Immer süßer singt das Blatt am Baum.
Und die brüderlichen Blitze segnen
Blau wie Veilchen den erwachten Traum.

Winterlandschaft

Das Hügelland wogt wie ein weißes Meer im Schnee,
Vom Himmel nieder wuchten violette
Schneewolken, eine dichtverschlungne Kette,
Die in der Luft an roten Ösen hängt —
Die Sonne brannte sie —
Am Horizonte aber wölbt sich aus der weißen Flur ein Berg,
Mit Tann bestanden, schwarz gekappt,
Ein ungeheurer Igel, der den Schneefall
Von seinen Borsten schläfrig schüttelte.

Ironische Landschaft

Gleich einem Zuge grau zerlumpter Strolche
Bedrohlich schwankend wie betrunkne Särge
Gehn Abendwolken über jene Berge,
In ihren Lumpen blitzen rote Sonnendolche.

Da wächst, ein schwarzer Bauch, aus dem Gelände
Der Landgendarm, daß er der Ordnung sich beflisse,
Und scheucht mit einem bösen Schütteln seiner Hände
Die Abendwolkenstrolche fort ins Ungewisse.

Die verlorene Welt

Ich bin ohne Glück und unrasiert,
Meine Hosen drehn sich in Spiralen.
Meinen Hut hat mir ein Herr entführt,
Ohne ihn entsprechend zu bezahlen.

Meine Gummischuhe weilen wo?
Ebendort zweihundert Manuskripte,
Die der Straßenreiniger rauh und roh
In den Exkrementenkasten schippte.

Goldne Nadel, die den Schlips bestach!
O ihr braunpunktierten Oberhemden!
Eines zieht das zweite andre nach;
Meine Heimat wandelt unter Fremden.

Wäscherin stahl mir das letzte Glück.
Die Vermieterin möblierter Höhlen
Legt mir auf den Nachttisch Beil und Strick,
Um mir zart das Jenseits zu empfehlen.

Haß sprüht wie ein fahles Feuerwerk
Mir aus allen aufgerissnen Poren,
Und ich renne schreiend wie ein Zwerg
Nach der Riesenwelt, die ich verloren.

Ich baumle mit de Beene

Meine Mutter liegt im Bette,
Denn sie kriegt das dritte Kind;
Meine Schwester geht zur Mette,
Weil wir so katholisch sind.
Manchmal troppt mir eine Träne
Und im Herzen pupperts schwer;
Und ich baumle mit de Beene,
Mit de Beene vor mich her.

Neulich kommt ein Herr gegangen
Mit 'nem violetten Schal,
Und er hat sich eingehangen,
Und es ging nach Jeschkenthal!
Sonntag war's. Er grinste: ,,Kleene,
Wa, dein Port'menée ist leer?''
Und ich baumle mit de Beene,
Mit de Beene vor mich her.

Vater sitzt zum 'zigsten Male,
Wegen ,,Hm'' in Plötzensee,
Und sein Schatz, der schimpft sich Male,
Und der Mutter tut's so weh!
Ja, so gut wie der hat's keener,
Fressen kriegt er und noch mehr,
Und er baumelt mit de Beene,
Mit de Beene vor sich her.

Manchmal in den Vollmondnächten
Is mir gar so wunderlich:
Ob sie meinen Emil brächten,
Weil er auf dem Striche strich!
Früh um dreie krähten Hähne,
Und ein Galgen ragt, und er . . .
Und er baumelt mit de Beene,
Mit de Beene vor sich her.

Das Essen

Ein Mensch beim Essen ist ein gut Gesicht,
Wenn er nichts denkt und nur die Kiefer mahlen,
Die Zähne malmen und die Blicke strahlen
Von einem sonderbaren Urweltlicht.

Vorspeisen sind wie Segel über Buchten,
Schlank und zum Hafen schnellend in erregter Fahrt,
Indes die schweren Fleischgerichte wuchten
Gewaltig über Wiesen von Gemüsen zart.

Welch ein entzücktes Spiel: zu hohen Festen
Erlesner Bissen Liebreiz zu erflehn,
Und welche Lust: sich mächtig vollzumästen,
Satt und mit Saft gefüllt vom Hals bis zu den Zeh'n.

Fischfleisch ist weiß und heilig oder rosen,
Und manchmal rauchgebeizt und lauchgewürzt.
Auch kleine Fische gibt's in blanken Dosen,
Die man wie Schnäpse jach hinunterstürzt.

Wildbret: Du Perle Cumberlands, von edler Fäule,
Und nackter Horden rohgebratner Fraß!
Wohl dem, der Schneehuhn oder Renntierkeule
(Gespickt, mit Sahne) hoch im Norden aß.

Beefsteak tartare ist fast so stark an Gnade
Wie ein am Grill gebratnes Lendenstück,
Und viele Götter leben im Salate,
Saftrot und samenkerngeschwellt das Weib Tomate,
Und grünes Kraut im Frühling ist ein kühles Glück.

Wenn du Kartoffeln oder Spargel ißt,
Schmeckst du den Sand der Felder und den Wurzelsegen,
Des Himmels Hitze und den großen Regen,
Die kühlen Wässer und den warmen Mist.

Laßt mich hier schweigen vom Besoffensein,
Vom tiefsten, tödlichsten Hinübergleiten,
Vom hellsten, wachsten Indiewindereiten,
Die Welt ist groß und unser Wort ist klein.

Laßt mich hier schweigen von dem Blutgericht
Geheimster Liebe in verrauschten Zeiten —
Laßt mich nur essen, dankbar und bescheiden —
Ein Mensch beim Essen ist ein gut Gesicht.

Gesang vom bittren Enzian

Bedenk, o Mensch, wenn du aus kleinen eckigen Gläsern
Den klaren Enzianschnaps in deine Gurgel sprengst:
Wie zwischen Felsgeschrot und mageren Alpengräsern
Die Wurzel wuchs, von der du (eh' du denkst)
Den großen Oberbootsmannsrausch empfängst.

Denk, wie sie erst ein sprödes Samenhaar
Und bald ein frostzerbissnes Pflänzlein war,
Und dann, von Sonne, Erde, Dreck und Lauch geätzt,
Vom Durst gewürgt, vom Hagelsturm zerfetzt,
Vom Schnee beladen und vom Reif gebrannt,
Von Raupen, Käfern, Würmern angefressen,
Aus jedem Tode schweigend auferstand,
Und jeden Lebens Jubel still durchmessen.

Denk nicht zu lang an diesen Werdegang —
Ein einzig Rachenputzen, Gurgelbrennen lang —,
Nicht länger: denn das langt, dein fröhlich Saufen
In freudige Herzenstrunkenheit zu taufen.

Und taumelst du dann morgens früh ins nasse Gras —
Wenn hoch am Hang der Schnitter schon die Sense
                                        schwingt —,

Dann spürst du Taugenichts, du faules Aas,
Wie kieselhart der gelbe Enzian ringt,
Und auch in dir, den rauschige Luft durchsingt,
Von solchem Ringen ein gerüttelt Maß.

An die Rotweinflecken auf dem Tischtuch
in einem französischen Restaurant (1936)

Ich sehe euch mit ernster Freude an
Und schieb' den Teller weg, der euch verdeckt.
Mein erster Schluck dem unbekannten Mann,
Dem es vor mir an diesem Tisch geschmeckt!

Aus euren lilablau zerlaufnen Rändern
Schaut ihr mit sanft verträumtem Trinkerblick,
Und gleicht dem Schattenriß von fremden Ländern,
Von Madagaskar oder Mozambique.

Noch ist mein Platz bestreut mit goldner Krume
Des Brots, das man bedächtig brach und aß.
Du Land voll Wohlklang und Burgunderblume,
Gleichst du noch immer jenem Königtume,
Das einst sein Fürst nach Fudern Weins bemaß?

Du spätes Land, bespielt von Abendstrahlen
Aus reifer Sprache buntem Prismenglas,
Wo Genien, Zaubrer, Zollbeamte malen,
Und wo selbst Gott sein Himmelreich vergaß!

Ich sah dich stahlzerfetzt und blutbegossen,
Ich lag an deinem Leib in Angst und Weh —
Vielleicht war der, der mich so schwer beschossen,
Der freundlich-wohlbeleibte Sommelier — ?

Und trank ich nicht aus deiner Tränenquelle,
Und litt ich nicht mit dir die Sterbenspein?
Ach, Schwesterland — ich knie an deiner Schwelle
Und küsse jeden Fleck von Blut und Wein!

Er schenkt mir ein. Es sprüht vom Flaschenmunde.
So trinke, Tischtuch! Trink die Libation!
Der Fremdling neigt sich deiner holden Stunde
Und macht sich nordwärts, nebelwärts, davon.

Totenlied für Klabund

An Deine Bahre treten,
Klabund, in langer Reih,
Die Narren und Propheten,
Die Tiere und Poeten,
Und ich bin auch dabei.

Es kommen die Hamburger Mädchen
Samt Neger und Matros,
Wo werden sie jetzt ihre Pfundstück
Und all die Sorgen los?

Es kommen die englischen Fräuleins,
Wie Morcheln, ohne Kinn,
Wo sollen denn die Armen jetzt
Mit ihrer Unschuld hin?

Es kommt am Humpelstocke
Der Leierkastenmann
Und fängt aus tiefster Orgelbrust
Wie ein Hund zu heulen an.

Es kommt der Wilhelm Fränger,
Die Laute in der Hand,
Aus seinen Zirkusaugen rinnt
Statt Tränen blutiger Sand.

Es kommen alle Vögel
Und zwitschern ohne Ruh,
Sie decken Dich wie junge Brut
Mit flaumigen Federn zu.

Es kommt ein Handwerksbursche
Mit rotem Augenlid,
Der kritzelt auf ein Telegramm-Formular
Dein schönstes Liebeslied.

Es kommt auf Beinen wie ein Reh
Ein dünner grauer Mann,
Der stellt die Himmelsleiter
Zu Deinen Füßen an.

Alabama-Lied

Ich kam von Alabama übern großen Teich daher,
Und ich habe kein Pyjama und auch keinen Strohhut mehr.
Als ich meine Braut verließ, da sprang sie hinter
                                    mir ins Meer.
Doch die beste Braut des Kriegers ist bekanntlich
                                    das Gewehr.
Chor: ,,Oh — Su — Sanna, — das ist schon lange her —''
        Drum wein dir nicht die Augen aus, wenn ich nicht
                                    wiederkehr.

Als ich von Alabama zog, fiel der Regen dick und schwer,
Und es regnet bei der Überfahrt und in Frankreich
                                    noch viel mehr.
Und es regnet bei der großen Schlacht, und der Himmel
                                    wird nicht leer,
Und es regnet auf den Micky Quirt und auf das ganze Heer.
Chor: ,,Oh — Su — Sanna, — drum weine nicht so sehr —''
        Denn wir haben nasse Brocken an, doch ein
                                    trocknes Schießgewehr.

Und wenn du in Alabama hörst, daß wieder Frieden wär,
Dann nimm dir einen Cornedbeefkonservenmillionär.
Leg deine Wang an seine Wang und sprich: For you
                   I care — !
Denn dein Micky war ein Frontsoldat, und das ist jetzt
                   nicht mehr fair.
Chor: ,,Oh — Su — Sanna, — das Leben ist nicht schwer — ''
Und für einen toten Bräutigam kommen tausend
                   neue her.

Die Schnupftabakdose

Es war eine Schnupftabaksdose,
Die hatte Friedrich der Große
Sich selbst geschnitzelt aus Nußbaumholz.
Und darauf war sie natürlich stolz.

Da kam ein Holzwurm gekrochen.
Der hatte Nußbaum gerochen.
Die Dose erzählte ihm lang und breit
Von Friedrich dem Großen und seiner Zeit.

Sie nannte den alten Fritz generös.
Da aber wurde der Holzwurm nervös
Und sagte, indem er zu bohren begann:
„Was geht mich Friedrich der Große an!"

Arm Kräutchen

Ein Sauerampfer auf dem Damm
Stand zwischen Bahngeleisen,
Machte vor jedem D-Zug stramm,
Sah viele Menschen reisen.

Und stand verstaubt und schluckte Qualm
Schwindsüchtig und verloren,
Ein armes Kraut, ein schwacher Halm,
Mit Augen, Herz und Ohren.

Sah Züge schwinden, Züge nahn.
Der arme Sauerampfer
Sah Eisenbahn um Eisenbahn,
Sah niemals einen Dampfer.

Zwei Schweinekarbonaden

Es waren zwei Schweinekarbonaden,
Die kehrten zurück in den Fleischerladen
Und sagten, so ganz von oben hin:
„Menèh tékel ûpharsin."

Frühling hinter Bad Nauheim

Zwei Eier, ein Brötchen, ein Hut und ein Hund —
Am Himmel die weiße Watte,
Die ausgezupft
Den Himmel ohne Hintergrund
So ungebildet übertupft,
Erzählt mir, was ich hatte.

Erzählt mir, was ich war.
Ich hatte, was ich habe.
Aber was weiß ich, was ich bin?!
Genau so dumm und vierzig Jahr?

Ich fliege, ein krächzender Rabe,
Über mich selber hin.

Ich bin zum Glück nicht sehr gesund
Und — Gott sei Dank —
Auch nicht sehr krank.

Der Wind entführt mir meinen Hund.
Die Eier, der Kognak, das Brötchen
Schmecken heute besonders gut:
Und siehe da: mein alter Hut
Macht Männchen und gibt Pfötchen.

Cassel · (Die Karpfen in der Wilhelmstraße 15)

Man hat sie in den Laden
In ein intimes Bassin gesetzt.
Dort dürfen sie baden.
Äußerlich etwas ausgefranst, abgewetzt —
Scheinen sie inwendig
Doch recht lebendig.
Sie murmeln Formeln wie die Zauberer,
Als würde dadurch ihr Wasser sauberer.
Sie kauen Mayonnaise stumm im Rüssel
Und träumen sich gegen den Strich rasiert,
Sodann geläutert, getötet, erwärmt und garniert
Auf eine silberne Schüssel.
Sie enden in Kommerzienräten,
Senden die witzigste von ihren Gräten
In eine falsche Kehle.
Und ich denke mir ihre Seele
Wie eine Kellerassel,
Die Kniebeuge übt. —
Ja und sonst hat mich in Cassel
Nichts weiter erregt oder betrübt.

Ansprache eines Fremden an eine Geschminkte vor dem Wilberforcemonument ·

Guten Abend, schöne Unbekannte! Es ist nachts halb zehn.
Würden Sie liebenswürdigerweise mit mir schlafen gehn?
Wer ich bin? — Sie meinen, wie ich heiße?

Liebes Kind, ich werde Sie belügen,
Denn ich schenke dir drei Pfund.
Denn ich küsse niemals auf den Mund.
Von uns beiden bin ich der Gescheitre.
Doch du darfst mich um drei weitere
Pfund betrügen.

Glaube mir, liebes Kind;
Wenn man einmal in Sansibar
Und in Tirol und im Gefängnis und in Kalkutta war,
Dann merkt man erst, daß man nicht weiß, wie sonderbar
Die Menschen sind.

Deine Ehre, zum Beispiel, ist nicht dasselbe
Wie bei Peter dem Großen L'honneur. —
Übrigens war ich — (Schenk mir das gelbe
Band!) — in Altona an der Elbe
Schaufensterdekorateur.

Hast du das Tuten gehört?
Das ist Wilson Line.

Wie? Ich sei angetrunken? O nein, nein! Nein!
Ich bin völlig besoffen und hundsgefährlich geistesgestört.
Aber sechs Pfund sind immer ein Risiko wert.
Wie du mißtrauisch neben mir gehst!
Wart nur, ich erzähle dir schnurrige Sachen.
Ich weiß: Du wirst lachen.
Ich weiß: Daß sie dich auch traurig machen,
Obwohl du sie garnicht verstehst.

Und auch ich —
Du wirst mir vertrauen — später, in Hose und Hemd.
Mädchen wie du haben mir immer vertraut.

Ich bin etwas schief ins Leben gebaut.
Wo mir alles rätselvoll ist und fremd,
Da wohnt meine Mutter. — Quatsch! Ich bitte dich:
                                    Sei recht laut!

Ich bin eine alte Kommode.
Oft mit Tinte oder Rotwein begossen;
Manchmal mit Fußtritten geschlossen.
Der wird kichern, der nach meinem Tode

Mein Geheimfach entdeckt. —
Ach Kind, wenn du ahntest, wie Kunitzburger
                           Eierkuchen schmeckt!

Das ist nun kein richtiger Scherz.
Ich bin auch nicht richtig froh.
Ich habe auch kein richtiges Herz.
Ich bin nur ein kleiner, unanständiger Schalk.
Mein richtiges Herz. Das ist anderwärts, irgendwo
Im Muschelkalk.

Vier Treppen hoch bei Dämmerung

Du mußt die Leute in die Fresse knacken.
Dann, wenn sie aufmerksam geworden sind, —
Vielleicht nach einer Eisenstange packen, —
Mußt du zu ihnen wie zu einem Kind
Ganz schamlos fromm und ärmlich einfach reden
Von Dingen, die du eben noch nicht wußtest.
Und bittst sie um Verzeihung — einzeln jeden —,
Daß du sie in die Fresse schlagen mußtest.
Und wenn du siegst: so sollst du traurig gehen,
Mit einem Witz. Und sie nicht wiedersehen.

Überall

Überall ist Wunderland.
Überall ist Leben.
Bei meiner Tante im Strumpfenband
Wie irgendwo daneben.
Überall ist Dunkelheit.
Kinder werden Väter.
Fünf Minuten später
Stirbt sich was für einige Zeit.
Überall ist Ewigkeit.

Wenn du einen Schneck behauchst,
Schrumpft er ins Gehäuse,
Wenn du ihn in Kognak tauchst,
Sieht er weiße Mäuse.

Stille Winterstraße

Es heben sich vernebelt braun
Die Berge aus dem klaren Weiß,
Und aus dem Weiß ragt braun ein Zaun,
Steht eine Stange wie ein Steiß.
Ein Rabe fliegt, so schwarz und scharf,
Wie ihn kein Maler malen darf,
Wenn er's nicht etwa kann.
Ich tapse einsam durch den Schnee.
Vielleicht steht links im Busch ein Reh
Und denkt: Dort geht ein Mann.

Die neuen Fernen

In der Stratosphäre,
Links vom Eingang, führt ein Gang
(Wenn er nicht verschüttet wäre)
Sieben Kilometer lang
Bis ins Ungefähre.

Dort erkennt man weit und breit
Nichts. Denn dort herrscht Dunkelheit.
Wenn man da die Augen schließt
Und sich langsam selbst erschießt,
Dann erinnert man sich gern
An den deutschen Abendstern.

Die Entwicklung der Menschheit

Einst haben die Kerls auf den Bäumen gehockt,
behaart und mit böser Visage.
Dann hat man sie aus dem Urwald gelockt
und die Welt asphaltiert und aufgestockt,
bis zur dreißigsten Etage.

Da saßen sie nun, den Flöhen entflohn,
in zentralgeheizten Räumen.
Da sitzen sie nun am Telephon.
Und es herrscht noch genau derselbe Ton
wie seinerzeit auf den Bäumen.

Sie hören weit. Sie sehen fern.
Sie sind mit dem Weltall in Fühlung.
Sie putzen die Zähne. Sie atmen modern.
Die Erde ist ein gebildeter Stern
mit sehr viel Wasserspülung.

Sie schießen die Briefschaften durch ein Rohr.
Sie jagen und züchten Mikroben.
Sie versehn die Natur mit allem Komfort.
Sie fliegen steil in den Himmel empor
und bleiben zwei Wochen oben.

Was ihre Verdauung übrig läßt,
das verarbeiten sie zu Watte.
Sie spalten Atome. Sie heilen Inzest.
Und sie stellen durch Stiluntersuchungen fest,
daß Cäsar Plattfüße hatte.

So haben sie mit dem Kopf und dem Mund
den Fortschritt der Menschheit geschaffen.
Doch davon mal abgesehen und
bei Lichte betrachtet sind sie im Grund
noch immer die alten Affen.

Zeitgenossen, haufenweise

Es ist nicht leicht, sie ohne Haß zu schildern,
und ganz unmöglich geht es ohne Hohn.
Sie haben Köpfe wie auf Abziehbildern
und, wo das Herz sein müßte, Telephon.

Sie wissen ganz genau, daß Kreise rund sind
und Invalidenbeine nur aus Holz.
Sie sprechen fließend, und aus diesem Grund sind
sie Tag und Nacht — auch sonntags — auf sich stolz.

In ihren Händen wird aus allem Ware.
In ihrer Seele brennt elektrisch Licht.
Sie messen auch das Unberechenbare.
Was sich nicht zählen läßt, das gibt es nicht!

Sie haben am Gehirn enorme Schwielen,
fast als benutzten sie es als Gesäß.
Sie werden rot, wenn sie mit Kindern spielen,
Die Liebe treiben sie programmgemäß.

Sie singen nie (nicht einmal im August)
ein hübsches Weihnachtslied auf offner Straße.
Sie sind nie froh und haben immer Lust.
Und denken, wenn sie denken, durch die Nase.

Sie loben unermüdlich unsre Zeit,
ganz als erhielten sie von ihr Tantiemen.
Ihr Intellekt liegt meistens doppelt breit.
Sie können sich nur noch zum Scheine schämen.

Sie haben Witz und können ihn nicht halten.
Sie wissen vieles, was sie nicht verstehn.
Man muß sie sehen, wenn sie Haare spalten!
Es ist, um an den Wänden hochzugehn.

Man sollte kleine Löcher in sie schießen!
Ihr letzter Schrei wär noch ein dernier cri.
Jedoch, sie haben viel zuviel Komplicen,
als daß sie sich von uns erschießen ließen.
Man trifft sie nie.

Ganz besonders feine Damen

Sie tragen die Büsten und Nasen
im gleichen Schritt und Tritt
und gehen so zart durch die Straßen,
als wären sie aus Biskuit.
Mit ihnen ist nicht zu spaßen.
Es ist, als trügen sie Vasen
und wüßten nur nicht, womit.

Sie scheinen sich stündlich zu baden
und sind nicht dünn und nicht dick.
Sie haben Beton in den Waden
und Halbgefrornes im Blick.
Man hält sie für Feen auf Reisen,
doch kann man es nicht beweisen.
Der Gatte hat eine Fabrik.

Sie laufen auf heimlichen Schienen.
Man weicht ihnen besser aus.
Sie stecken die steifsten Mienen
wie Fahnenstangen heraus.
Man kann es ganz einfach nicht fassen,
daß sie sich beißen lassen,
in und außer dem Haus.

Man könnte sich denken, sie stiegen
mit Hüten und Mänteln ins Bett.
Und stünden im Schlaf, statt zu liegen.
Und schämten sich auf dem Klosett.
Man könnte sich denken, sie ließen

die Männer alle erschießen
und kniffen sie noch ins Skelett.

So schweben sie zwischen den Leuten
wie Königinnen nach Maß.
Doch hat das nichts zu bedeuten.
Sie sind ja gar nicht aus Glas!
Man kann sie, wie andere Frauen,
verführen, verstehn und verhauen.
Denn: fein sind sie nur zum Spaß.

Maskenball im Hochgebirge

Eines schönen Abends wurden alle
Gäste des Hotels verrückt, und sie
rannten schlagerbrüllend aus der Halle
in die Dunkelheit und fuhren Ski.

Und sie sausten über weiße Hänge.
Und der Vollmond wurde förmlich fahl.
Und er zog sich staunend in die Länge.
So etwas sah er zum erstenmal.

Manche Frauen trugen nichts als Flitter.
Andre Frauen waren in Trikots.
Ein Fabrikdirektor kam als Ritter.
Und der Helm war ihm zwei Kopf zu groß.

Sieben Rehe starben auf der Stelle.
Diese armen Tiere traf der Schlag.
Möglich, daß es an der Jazzkapelle —
denn auch die war mitgefahren — lag.

Die Umgebung glich gefrornen Betten.
Auf die Abendkleider fiel der Reif.
Zähne klapperten wie Kastagnetten.
Frau von Cottas Brüste wurden steif.

Das Gebirge machte böse Miene.
Das Gebirge wollte seine Ruh.
Und mit einer mittleren Lawine
deckt es die blöde Bande zu.

Dieser Vorgang ist ganz leicht erklärlich.
Der Natur riß einfach die Geduld.
Andre Gründe gibt es hierfür schwerlich.
Den Verkehrsverein trifft keine Schuld.

Man begrub die kalten Herrn und Damen.
Und auch etwas Gutes war dabei:
für die Gäste, die am Mittwoch kamen,
wurden endlich ein paar Zimmer frei.

Sachliche Romanze

Als sie einander acht Jahre kannten
(und man darf sagen: sie kannten sich gut),
kam ihre Liebe plötzlich abhanden.
Wie andern Leuten ein Stock oder Hut.

Sie waren traurig, betrugen sich heiter,
versuchten Küsse, als ob nichts sei,
und sahen sich an und wußten nicht weiter.
Da weinte sie schließlich. Und er stand dabei.

Vom Fenster aus konnte man Schiffen winken.
Er sagte, es wäre schon Viertel nach Vier
und Zeit, irgendwo Kaffee zu trinken.
Nebenan übte ein Mensch Klavier.

Sie gingen ins kleinste Café am Ort
und rührten in ihren Tassen.
Am Abend saßen sie immer noch dort.
Sie saßen allein, und sie sprachen kein Wort
und konnten es einfach nicht fassen.

Dauerregen

Nun säuft er sich mit dunklen Wolkenhaufen,
der Himmel säuft sich saftig bis zum Rand.
Er läßt das Maul verwahrlost überlaufen,
pflatscht hin die Lösung, unterwühlt das Land.

Auf Fensterblechen bröckeln Melodien,
Gebüsch darunter rauscht, zerrauscht sich schwer,
die Weltangst kommt, ins Auge einzuziehen
mit grauem Kalk, mit Wüste und mit Meer.

Er säuft, aus Pflicht; die Schleusen gurgeln mit.
Ein erster Krach durchstolperte die Luft.
Da, aus den Fugen träufelt schon der Kitt.
Gehirn, du sinkst, und Schlamm verschließt die Gruft.

Von Sonne bleibt, ihr Würmer, nichts zu hoffen,
sie schwemmte ach wer weiß in welchen Bauch.
Und Erde, Himmel, riesig vollgesoffen —
nur weg damit! Und jetzt ersauf ich auch.

Oft lag ich da wie längst schon tot,
ich sah den Tag, das Abendrot,
ich sah die Wolken ziehn und scheinen.
Es war so still, so Lebens bar,
ich spürte nur noch, kaum gewahr,
ein wenig Wärme in den Steinen.

Oft sah ich weg und gab mich hin
dem ach schon halb vermorschten Sinn,
es floß mein Blut schon fremd hienieden.
Die Erde war ein Stern, so weit,
ich lag wie außerhalb der Zeit,
vergessen und doch ganz zufrieden.

Wohl irgendwo ein Brünnlein rann,
es kam ein leichter Wind sodann,
der gab mir noch etwas zu denken.
Nicht lang, da sah auch er sich nun
veranlaßt, lieber nichts zu tun
und sich den letzten Weg zu schenken.

Oft lag ich da, ach, kaum verträumt,
wie in den Strand hineingeschäumt,
ein Stück von gestern, nie gefunden.
Ich sah hinaus, kaum einen Blick, —
dort, etwas näher, quoll der Schlick,
die Woge, die war längst entschwunden.

Oft lag ich da, ganz allgemein,
der Himmel und sein Widerschein
beschlief das Land und seine Blöße.
Es kam der Mond. Was sollt geschehn?
Kein Leben war darin zu sehn
als das erstorbene, ruinöse.

Oft lag ich da wie längst schon Staub,
wie ein vom Sturm zerriebenes Laub,
anheimgegeben und nichts weiter.
Fragst du: wohin? So frag den Schnee!
Fragst du: wer da? So frag das Reh!
Such dir nur deinen Wegbereiter!

Das Andere

Du gehst noch einen Schritt,
du bist dir noch ganz gleich,
da geht schon jemand mit
aus einem anderen Reich.

Du stehst noch voll im Licht
und sagst noch ich und du,
da lauscht schon ein Gesicht
und lächelt still dazu.

Vielleicht, es fällt der Schnee
auf dein erträumtes Haus,
es tut auch gar nicht weh,
da trägt man dich hinaus.

Wer sagt, wie unterdes
dein Herz dir so entkam?
Ob wohl ein Sperling es
im Flug so mit sich nahm?

Preislieder

(1)   Auf eine Seifenblase

Seifenblase! himmelwärts verloren,
aus Entzücken an der Welt geboren
und aus eines Kindes Vaterhand
in den Wind auf Wanderschaft gesandt.

Schaumgeborene und Schaumgesäugte,
in der Taufe wunderlich Erzeugte,
mühelos geboren durch ein Kind:
Adamsatem, Gottesatem, Wind.

Du Gestalt aus nichts als heiler Hülle,
du aus Leere übervolle Fülle,
Wiederholung des verlornen Alls,
Wiederheilung seines Sündenfalls.

Durchsichtbare Haut und selber sehend,
Äußeres als Inneres verstehend,
mit der Milch der Mütter schlafgestillt,
Ebenbild aus lauter Ebenbild.

Auf dem Meeresgrunde einer Schüssel
schliefst du, Himmelsschloß und Himmelsschlüssel,
Herz, in dem das Herz des Himmels schlief,
bis dich dein Beruf ins Licht berief.

Sieh! und wo wir Menschen uns mit Jammern
jämmerlich an einen Strohhalm klammern,
makellos und nabellos, ein Ei,
gibst du ihn um Gottes willen frei.

(2) *Auf ein verlorenes Bilderbuch*

O unsichtbar durch alle Herzen rauschend,
Du dunkler Strom, der alle Mühlen treibt,
Erwartung heimlich in Erinnrung tauschend,
durch mich hindurch an mir vorüber rauschend,
der im Verlust gewinnt, im Fliehen bleibt!

Wie wehe im Verschwinden dies Verweilen:
Geländergast, am unentwegten Drehn
des Mühlrads all die Wasserflucht zu heilen;
o bleibend auf der Brücke zu verweilen,
der Mühle so, dem Bleiben zuzusehn!

Erblindender ins Innre auszuwandern,
wo lang Gewesnes in Gewahrsam ruht;
rückströmend auf verflossenen Mäandern,
ins Brunnenland, ins Damals auszuwandern,
herzwund zu tauchen tief ins eigne Blut! . . .

Im Bilde meiner unbefangnen Tage
seh ich mich selbst mit einem Bilderbuch,
als suche Sage ihre eigne Sage;
als sei'n dem Kind die eignen Kindertage
nicht früh, nicht bunt, nicht Bilderbuch genug.

O Du mein Bilderbuch, schwarz eingebunden!
Auf Deinen Leinenblättern, rauh und groß:
die ganze Welt, vollkommen vorgefunden,
in tausend Bildern, dunkel eingebunden,
auf tausend Seiten, — bunt und mühelos

gab sie sich hin, gab ich mich ihr zu eigen.
Wir waren eins, und außer uns war nichts.
Wir brauchten nur uns zueinander neigen,
so waren wir, versenkt ins Bilderzeigen,
verschlungen von der Fülle des Gesichts.

Das Buch ist fort auf Nimmerwiedersehen.
(Wer mir's entwandte, weiß nicht, was er tat.)
Ach, und so vieles ist seitdem geschehen
und ging dahin auf Nimmerwiedersehen,
Gott weiß wohin: die Sichel mit der Saat.

Ich sehe eine alte Frau nicht wieder
und darf nur danken, daß sie nicht mehr lebt.
Päonien rot und Kaiserkron und Flieder
im alten Garten kehren freilich wieder;
und freilich schmilzt der Schnee, der sie begräbt. —

O liebes Buch! die Eltern meiner Eltern
erschufen Dich und klebten Bild um Bild
in Dich für ihre Kinder, meine Eltern: —
Prinz und Prinzessin auf zwei weißen Zeltern
eröffneten den Reigen. Schwert und Schild

trug Kaiser Karl und Zepter, Bart und Krone.
Dann kam die dunkle Königin der Nacht.
Ich lernte, daß sie unter Sternen wohne.
Schwarz war ihr Kleid, und eine Sternenkrone
war über ihrem Schleier angebracht.

Dann kamen Zwerge, Blumen, Schmetterlinge,
und Muscheln und des Hammers Ungestalt,
und dann ein Mohr mit einem Nasenringe,
und ein Kamel, und neue Schmetterlinge,
und dann ein Mönch in einem tiefen Wald.

Dann kam auf sieben Seiten eine lange
fürstliche Falkenjagd. Den Falken trug
die Hand der Königin. Dann kam die Schlange
mit einem Frauenkopf. Ich sah sie lange
und bange an; doch was des Apfels Fluch,

und was das hauptverhüllende und nackte
vertriebene Paar, und was das Flammenschwert
des Engels zu bedeuten hatte, packte
mich zwar geheimnisvoll, zumal das Nackte
der beiden Menschen; doch was sie verkehrt

gemacht, verstand ich nicht. Geschwinde schlug ich
die nächste Seite auf. Da schwiegs im Eis.
Das Nordlicht flammte auf. Ein Schlitten trug mich
zur Bärenjagd. Den Riesigsten erschlug ich
mit meiner Axt. Sein Blut floß rot und heiß.

Dann kam das letzte Bild: ein kleiner Knabe
auf schmalem Steg, den kein Geländer stützt,
geht über eine Schlucht und lacht, als habe
er keinen Grund zur Angst. Doch sieht der Knabe
den hellen Engel nicht, der ihn beschützt.
So schließt das Buch, das ich verloren habe.

(3) Auf meine Lampe

O Milch aus nichts als Licht,
das Milchglas füllend,
still, leuchtend, strahlend, stumm;

nur reines, eines Nicht,
nur Nichts enthüllend,
nicht Weil und nicht Warum;

nur Glanz, nur weiß und sacht
im Morgenschimmer
erlöschend, weiß in weiß;

nicht Tag noch, nicht mehr Nacht,
nur reines Immer,
das Alles, Alles weiß.

V

OSKAR LOERKE 1884—1941

Grab des Dichters

Früh sah ich vorne
Vorm Tor, wo der Bauer im Kühlen harkt,
Die feurigen Dorne
Des Morgens zu maßlosem Licht erstarkt.

Der Gott hat Muße.
Andern verblieb es, ein Tagwerk zu tun,
Mir, unter dem Fuße
Der trauernd geschwätzigen Winde zu ruhn.

Wenn die uralte Traube,
Die schwarze, wiederkehrt staubig und warm,
Weckt mich immer der Glaube:
Du sollst nicht schluchzen, der Gott wird nicht arm.

Schöpfung

Der Felsen saust davon wie Laub, zerkräuselt.
Du fällst im Raum. Die letzten Schrecken kamen.
Nicht Erde hast du in der Hand, nicht Samen,
Und füllst das Herz mit ihren Namen.

Du siehst den Geist den Keim erwecken.
Du hörst — die Würmer kommen schmecken —
Des Stammes lautlos langes Recken,
Bis er in gelber Mondnacht säuselt.

Wolkengleich

Gewölk erschwebt das Licht, verschwebt im Lichte,
Will kommen, kommt und irrt vorbei,
Wie wenn es der Menschengeschlechter Geschichte,
Die schwebend beschienene Schwermut sei.

Zu schwer zum Flug ist meine Stunde,
Nicht aber all meiner Stunden Heer,
Zu schwer dieser Kummer, doch Kummer im Bunde
Mit vielem Kummer ist nicht zu schwer.

Mein Albatros Leben und jeder ihm gleiche
Sind noch nicht flügge zu traumleichtem Flug,
Aber die Städte, aber die Reiche,
Aber die Völker sind leicht genug.

Das Gespenst mit der Glorie

Auf Krücken kroch er weltwärts von den Toten.
Das Haar fällt ihm in Strängen fahl wie Zinn,
Umwandelt von dem Glorienmond, dem roten.
Er faßt nach ihm und hält ihn bettelnd hin.

Gestützt auf Hungerschenkel, dürre Krücken,
Ein Vierfuß zittert er in grüner Schar.
Sein Teller fleht und er mit krummem Rücken.
Sein Schatten kniet, ein greises Dromedar.

Im heilgen Spiegelteller ziehn Karossen
Und Menschen, wie von langem Sinn gelenkt.
Im schönen Goldkreis ist manch Jahr verflossen —
Du hebst ihn nicht mehr auf, zu viel ist eingesenkt.

Siehst in ihm rosa Wellen schlagen
Mit bläulich gelben Feuerkragen,
Aus ihnen heben Sintflutsagen
Das Haupt wie Schweinsfisch oder Hai.
Das andere ist dir vorbei,
Wie wenns, in goldner Schwermut schwebend, nie gewesen sei.

Mondwolken

Der Fuchtelwind der Angst ist irr hereingeschlagen:
Bett wankt und Haus.
Grund fliegt wie Spreu.
Aufweint der Styx — kein Ach weiß ach zu sagen.

Der Schöpfung feuchtes Bild ist aus dem Fleisch vertrieben.
Nur schwarze Last,
Windflut der Nacht,
Und Streifen mondnen Himmelschaumes sind geblieben.

Gewendet wird ein Geisterfeld in großen Schollen
Wie Blut so weich,
So klar wie Seim —
Zu Häupten keimen schon die weißen Knollen.

Sie keimen schon in Schmerzen, die sie sanft verändern;
Wie grünes Leid
Und goldne Milch
Schlägts heilig über an den aufgegangnen Rändern.

Mein Herz — nah weint der Bach — mein Herz, so
                                  leicht zu pflücken,
Nun fülle dich:
Wie Pauken schön
Noch dies, noch dies zu schlagen von umschluchzten
                                  Brücken.

Leidspiegelung

Leid, Leid,
So rein von Menschen und von Dingen,
Du willst im Stein
Ein Wasserquell, an meinem Fuß entspringen?

Viele würden horchen. Darum rauschst du nicht. —
Doch wo im Himmel bange
Das Auge ruht, ist nun der Quell entsprungen,
Fließt, seinvergessen, wie von einer Wange.

An seinem Borde senkt ein Palmenhaupt
Die Last wie vielgeflügelten Flug
Und trifft schon Strauchwerk an, das vor ihm da ist,
Und Schilf genug.

Ein bärtig schwarzes Wild tritt aus dem Schilfe.
Scharf spiegeln sich im Quell die weißen Zinken
Der Zähne. Seine Kehle hechelt gierend,
Doch sie vergißt zu trinken.

Die Purpuraugen starren in das Fließen.
Gewaltig schlürft ihr Geist die Form: das Schilf, den Strauch,
Die Palme —
In seinen Blick hinein erblaßt das Tier, der Quell wie Rauch.

Die ehrwürdigen Bäume

Riesige Wesen, seherisch blind,
Behütet ohne Hürden.
Ihnen beugt sich der streichende Wind:
Ehrwürden! Ehrwürden!

Manchmal auch greift er wie an die Kandare
Bäumender Rosse in grünen Geschirren.
Wer sind sie wirklich? Sie bleiben das Klare,
Dem keine Fieber die Zeit verwirren.

Sie wälzen hundert und hundert Jahr
In ihren Türmen, den stolzen,
Was aus Erfahrung und Gefahr
Zum Gruß „ich lebe" zusammengeschmolzen.

Darunter verklingt ein Ruf: ich scheide!
Den einst ein menschlicher Hornstoß stieß;
Darunter wieder liegt grasige Heide
Manchmal und manchmal erdiger Grieß.

Als mir die Einsamkeit das Brausen,
Das Brausen die Einsamkeit wiedergebar,
Gebar sie auch Geister, die hier hausen.
Ich wurde weiser Männer gewahr.

Sie schienen den Stämmen zu gehören,
Die dunklen Brunnen brauten ihr Alter.
Und nach den durchbrochenen Blätterflören
Trugen manche gezeichnete Flügel wie Falter.

Gingen sie traumhaft, wie sie kamen,
So war es, sie würden wiederkehren;
Verwandelt in meine Formen und Namen,
Wollten sie mich mein Gastrecht lehren.

Einen sprach ich an: „Ihr seid das Reine,
Unsre Menschheit ist voll Flecken.
Die Zukunft brennt im Wetterscheine,
Kannst du das Schicksal nicht entdecken?

Gib einen Siechentrost dem Siechen."
— Er schließt die Hand, er darf sie nicht bieten,
Und öffnet sie stumm: die Fläche bekriechen
Ameisen, Ameisen und Termiten.

Und als ich bangte, ob ich ihn verstände,
Meldete sich ein Wipfel brausend.
Dann schluckten ihn die Blätterwände,
Dann nahm ihn zu sich das Jahrtausend.

Der große Pflug

Der Unsichtbare pflügt, wer kann ihm wehren?
Wie roh der Berg der Scholle niederhaut,
Bis selbst die Falkenaugen sich von Leben leeren
Und selbst das Hundeohr sich leert von allem Laut.

Der Schatten schlug voran dem Riesenpfluge,
Dann, wenn er wandte, rückwärts alles Land.
Die Schar soff Blut mit ihrem untern Buge,
Durch Wolkenblitze schnitt der obre Rand.

Die Furche warf die Reiter aus dem Bügel,
Die Glocken schluckten köpflings ihren Klang.
Und Stadt um Stadt ist schwarzer Maulwurfshügel
Und Wald um Wald gestriemter Maulwurfsgang.

So schweigt das Reich am Saum der Sternstandarte,
Die trug man uns nicht fort, — zu schwer die Last.
Ein Götze weht, erhängt in seinem Barte,
Hin, her. So baumelt um den Schaft ein Quast.

Und unten Stille. Horch! Verloren haucht's wie Pusten
Der Lippe, die den Frost vom Fenster schält.
Den Raum verspottend meckert es wie Husten,
Der sich aus einem kranken Narren quält.

Und unten wuchs die Dauer ohne Dauer.
Und als die Öde wiederum gebar,
Kroch Spiel und Notdurft in die große Trauer,
Und Kindheit war, wie Kindheit immer war.

Altes Gemäuer

Ein Mauerwerk zerbröckelt in das Schweigen,
Worein die Fugengräser sinken, steigen:
Das Mittelalter in ihm rührt sich nicht,
Das Altertum in ihm, es spürt sich nicht.

Die Ritzengräser heben sich und sinken,
Wenn Windeskrüppel durch die Stille hinken.
Die gehn vorbei, sie haben keinen Stecken,
Die Jugend im Gemäuer aufzuwecken.

Vielleicht, daß wir sein Einst uns nur erdachten
Und Treppen in den Zeitenspuk uns machten.
Vielleicht, daß Gott uns Zeitenräume gönnte,
Doch Welt nicht ist, was je erwachen könnte.

Denn alles ist schon wach, was um uns her ist,
Was rispenleicht und backsteinmauerschwer ist,
Die Arche des Vergangnen, das wir schufen,
Bei Tag, bei Nacht,
Die Zukunftsfracht
Auf Wolkenschlitten ohne Kufen.

Weichbild

Niemand ging verloren.
Das Korn selbst schläft gezählt in den Ähren,
Doch bangt sich ein Wehruf unstillbar.

Niemand ward erschlagen.
Doch bücken im Zwielicht sich Hände
Und waschen Blut von der Erde.

Alles hat seinen Ort: hier bin ich!
Im Garten blühn Pantoffelblumen.
Ach! Und die Sterne steigen
In die verlassenen Wassertröge.

Leiblich genossen

Meinen gepreßten Mund erbricht
Ein Gefäß mit Absud von Wermut.

Mir war bewußt, der Abschied ist kurz
Im Trank aus geriebenem Schierlingswurz,
Ich wußte, dies ist der Abschied nicht
Vom All und seiner Schwermut.

Ich wollte nicht trinken, doch dann ist der Krug
Ganz in mich ausgeflossen;
Ich warf ihn fort, und er klang hohl.
Des Bittern genug und übergenug!
Und doch tats wohl und lange wohl,
Denn es war *leiblich* genossen.

Das Gericht

Nach stolzer Lehre laßt uns tun:
Die Fackel über Schläfer weiterreichen,
(Wie sie im Schlaf uns rührend gleichen — !)
Am Fuß der Irrsal steile Härten,
Die Sterne schließlich an den Schuhn
Wie Margueriten unsrer Gärten.

Und oben wird zu Milch der trübe Strom,
Er floß durch Mekka, Schiras und Athen,
Da baden wir das Angesicht.
Und oben läßt der Wald von seinem Wehn,
Das Mexiko durchrauscht und Bali, Rom,
— Nun fällt man ihn zu mildestem Gericht.

Wie du dich hierher durchgeschlagen hast,
Gebenedeit, betrogen,
Es gilt gleichviel;
Vom Scheiterholz die gleiche Last
Wird jedem zugewogen,
Du bist am Ziel.

Von unten langt man Leuchte schon an Leuchte,
Doch die sie reichen, können noch nicht kommen,
Und ihre rechte Hand ist noch nicht frei:
Sie haben sich der Schläfer angenommen,
Sie wischen Trunknen das Gespei
Und trocknen bleicher Bruderstirn die Feuchte.

Begnadete

Die in ihr eignes Leben eingehn dürfen,
Die müssen nach dem Lebenssinn nicht graben,
Die müssen flach nur schürfen, wenig schlürfen,
Um in der Hand, auf Lippen ihn zu haben.

Wenn sie zuletzt, da Scheel- und Ichsucht schweigen,
Sich nicht am Tor zu andern Welten melden,
Nur tief sich vor der großen Nacht verneigen,
So sind sie Helden über viele Helden.

Die milde Gabe

Soll ich den Meteorfall schelten,
Steigt eine Wolke Müll aus seinem Sturz?
Was mir als Ernst gegolten hat, wird gelten.
Und meine Lust war nicht zu kurz.

Ich habe die wie eine milde Gabe
In ihrer Schüssel fortgestellt.
Ich habe nichts vor mir. Ich habe
Vor mir die ganze Welt.

Ahnung im Januar

Münchhausens Horn ist aufgetaut,
Zerbrochene Gefangenschaft!
Erstarrter Ton wird leise laut,
In Holz und Stengel treibt der Saft.

Dem Anruf als ein Widerhall,
Aus Lehmesklumpen, eisig, kahl,
Steigt Ammernleib, ein Federball,
Schon viele Male, erstes Mal!

Ob Juniluft den Stier umblaut,
Den Winterstall ein Wald durchlaubt?
Ist es Europa, die ihn kraut?
Leicht richtet er das schwere Haupt.

So warmen Fußes, Sommergeist,
Daß unter dir das Eis zerreißt —
Verheißung, und schon brenne ich,
Erfüllung, wie ertrag ich dich?

Klage ohne Trauer

Die Spinne wirft ihr Silberseil.
Der Wind schläft ein. So bleibt es heil.

Wie schnell flog meine Zeit vorbei,
Aus jeder Hecke Vogelschrei.

Die Erde spricht, Heuschreck ihr Mund,
Blaugrüne Diemen, wigwamrund.

Die Pappel samt. Die Wolle schneit,
Als Polster meinem Kopf bereit.

Ein Seufzer seufzt: ,,Vergeh, vergeh'';
Die Pappel rauscht: ,,Es tut nicht weh''.

Abgeblühter Löwenzahn

Verwandle dich und werde leicht,
Zerfasere zu Samenhaar,
Gemindert schwebt, ein dünnes Korn,
Was gestern Strahlenball noch war.

Verwandlungsträchtig, warst du kaum,
Und saugst dich frisch im Leben fest,
Das dich und mich, treuloser Staub,
An keiner Stelle weilen läßt.

Begleite Vers die Flüchtigkeit.
Gebiete er, gebiete zart;
Sei, wie von meinem Finger du,
Das Schwindende von ihm bewahrt.

Ein zweites Dasein überwächst
Das erste, das geopfert liegt.
Verweh es denn wie Löwenzahn,
Damit es traumgekräftigt fliegt.

In Solothurn

Vor hundert Jahren suchte ich die schöne Magelone.
Sie liebte mich. Ich war ihr gut genug.
Vor hundert Jahren, als mein Fuß mich schwebend trug.

Ich bin in Solothurn. Frag ich, ob sie hier wohne?
Die weiße Kathedrale fleht den Sommerhimmel an.
Auf hoher Treppe sitze ich, ein junggeglühter Mann.
Die alten Brunnenheiligen stehn schlank;
Die Wasser rauschen, Eichendorff zum Dank.

Hôtel de la Couronne. Mit goldnen Gittern schweifen
die Balkone.
Ein Auto hielt. War sie's, die in den Sitz sich schwang?
Adieu! Dein Reiseschal des Windes Fang.

Die Brunnen rauschen. Ihre Stimme spricht
Uns hundert Jahre wieder ins Gedicht:
Mich, Peter von Provence, dich, Magelone.

Daphne

Die Quitte schwillt. Wie heiß die Lüfte,
Sie kühlt die Hand, die sie umspannt.
So tasteten Apollons Finger,
Von Daphnes junger Brust entbrannt.

Wir sind schon über Jahresmitte,
Doch steigt rhapsodisch noch und fällt,
Ein menschenscheuer Elf, Grasmücke
Aus grünem Zelt in grünes Zelt.

Indes die gleiche Strophe schallte,
Froh der gewissen Wiederkehr,
Wie viele Leben, die sich wagten,
Wie viele Schöße wurden schwer!

Kein Ekel scheucht die Schmetterlinge
Vom Liebesspiel, kein Todgestank,
Und immer wieder greift Isolde,
Greift Tristan nach dem Zaubertrank.

Zu Früchten bändigt sich das Feuer,
Zu Abendkühle Mittagbrand.
Apollon schreckt nicht mehr, und heiter
Birgt Daphne sich in meiner Hand.

Auf sommerlichem Friedhof (1944)

Der Fliegenschnäpper, steinauf, steinab.
Der Rosenduft begräbt dein Grab.
Es könnte nirgend stiller sein:
Der darin liegt, erschein, erschein!

Der Eisenhut blitzt blaues Licht.
Komm, wisch den Schweiß mir vom Gesicht.
Der Tag ist süß und ladet ein,
Noch einmal säßen wir zu zwein.

Sirene heult, Geschützmaul bellt.
Sie morden sich: es ist die Welt.
Komm nicht! Komm nicht! Laß mich allein,
Der Erdentag lädt nicht mehr ein.
Ins Qualenlose flohest du,
O Grab, halt deine Tür fest zu!

Deutsche Zeit 1947

Blechdose rostet, Baumstumpf schreit.
Der Wind greint. Jammert ihn die Zeit?
Spitz das Gesicht, der Magen leer,
Den Krähen selbst kein Abfall mehr.

Verlangt nach Lust der dürre Leib,
Für Brot verkauft sich Mann und Weib.
Ich lache nicht, ich weine nicht,
Zu Ende geht das Weltgedicht.

Da seine Strophe sich verlor,
Die letzte, dem ertaubten Ohr,
Hat sich die Erde aufgemacht,
Aus Winterohnmacht spät erwacht.

Zwar schlug das Beil die Hügel kahl,
Versuch, versuch es noch einmal.
Sie mischt und siebt mit weiser Hand:
In Wangenglut entbrennt der Hang,
Zu Anemone wird der Sand.

Sie eilen, grämlichen Gesichts.
Es blüht vorbei. Es ist ein Nichts.
Mißglückter Zauber? Er gelang.
Ich bin genährt. Ich hör Gesang.

Meerwärts

Sandbesessen, windzerwühlt,
Schwer nur weggedrängt;
Was die Mühe keuchend brach,
Hat August versengt.

Wogt der Himmel über mir,
Unter mir der Sand,
Geißelt sich die Schmele selbst,
Armer Flagellant!

Aber hyazinthen tanzt
Ein Gesicht der See —
Eh mich Staub zu Staube mürbt,
Finde ich sie je?

Quecke gräbt, ein langer Wurm,
Burg des Maulwurfs stürzt;
Schluck ich Sand, ich schmecke auch,
Daß ihn Salzkorn würzt.

Pocht des Imkers Kupfergong?
Schwärmt ein Bienenflug?
Harfend zupft der Wind den Halm,
Und es war ein Lug.

Saugend summt es fort im Ohr,
Rauscht gefaßten Schwungs.
Düne steigt und Düne fällt;
Mut des letzten Sprungs.

Überrieselt brach das Knie,
Und ich atme schwer:
Grauem Dorn hängt im Geäst,
Blauer Glanz, das Meer!

Fliehender Sommer

Marguerite, Marguerite!
Weiße Frau in goldner Haube —
Erstes Heu wölbt sich zum Schaube,
Kuckuck reist, als er es sieht.

Pappel braust wie ein Prophet.
Aus dem vielgezüngten Munde
Stößt sie orgelnd ihre Kunde.
Elster hüpft, die sie versteht.

Pappel, du, in Weisheit grau,
Diene ich dir erst zur Speise,
Fall ich ein in eure Weise,
Kuckuck, Elster, weiße Frau.

Abschied

Weiß geäderte Stachelbeere,
Im grünen Garten Sommerballon.
Die wilde Flucht der Mauersegler
Gellt schon: ,,Davon! Davon!''

Der Kürbis schwillt mit reicher Gewalt,
Er schwillt geruhig aus.
Zittert nicht doch wie Schattengegitter
Das schöne Erdenhaus?

Spanische Kresse schlängelt die Glieder,
Als wartete Sommerbeginn;
Blätterteller schützen den Samen,
Beherbergt bleibt der Sinn.

Weiß geädert, Stachelbeere,
Zeile im großen Gesang.
Wir reichen einander Geisterhände
Und vollenden den Gang.

Oberon

Durch den warmen Lehm geschnitten
Zieht der Weg. Inmitten
Wachsen Lolch und Bibernell.
Oberon ist ihn geritten,
Heuschreckschnell.

Oberon ist längst die Sagenzeit hinabgeglitten.
Nur ein Klirren
Wie von goldenen Reitgeschirren
Bleibt,
Wenn der Wind die Haferkörner reibt.

Zwillinge

Wo waren wir
in Orchideenwäldern,
in Bärlapphainen, Schachtelhalm und Farn?
Ein Larentier
ging zwischen Lilienfeldern,
und Gletscher wuchsen langsam zu den kältern
Gezeiten an. Es wuchsen Blut und Harn.

Die Blätterschar,
wie todesstarre Speere,
entsprang sehr still dem ungeteilten Keim.
Der Götter Haar
hing allverwandt ins Leere,
und ohne Zeugung schloß in sich der schwere
Hermaphrodit den schöpferischen Reim.

Doch stärker gor
das Licht in Wurzelkufen,
bis es den Ursprung mit sich selbst entzweit
und schneller vor
den ungespaltnen Hufen
der Sonnenpferde, die den Ablauf schufen,
das Zwillingsbild im Doppelblatt befreit.

Dann wurden wir.
Und mit uns war im Werden
von Anfang an die große Mutter schon:
Geburtengier,
in der wir sie belehrten,
gab, daß die Brüste schrecklich sich vermehrten
und Art um Arten rieselte wie Mohn.

Milder Tag im Vorfrühling

Treiben einander auf wolkigen Bänken
unruhigen Lichtes die Luftgeister zu?
Brechender Blätter in braunroten Senken
zartes Gezirp wie aus persischen Schänken,
Licht über Mittag wie Blut unterm Schuh ...

Lüften Flamingos die schwellenden Flügel?
Faltet die Ahnung der Rose sich auf?
Schneebeerstrauch trägt seine lieblichen Hügel
Hebe als Brüstchen an, und aus dem Tiegel
winziger Sternschalen sät sich zu Hauf

Samen der Goldraute rings in die Runde,
daß er den Wind nicht, den Kuppler, versäumt.
Sperlingsmann ist schon mit Kore im Bunde:
stygischer Bote, der wispernde Kunde,
Laub aus dem Vorjahre, aufhebt und räumt.

Dehnt sich der Ring dieser wehenden Hecken?
Tanzte ein Kiesel auf grundlosem See?
Spukhaft verbeugen, einander zu necken,
sich zwei Gestalten in mausgrauen Röcken:
Birgit von Schweden begrüßt Litaipe.

Räume, sie rücken in mystischen Bögen
näher zusammen, gezweigt vor dem Blau,
und wie bei Meisen an schaukelnden Trögen
zittert ihr Schattenbild, reiner als Regen,
tief in des Dichters weit offener Schau ...

In den Mittag gesprochen

Schläfriger Garten. Gedankenlos
wie der Daume über dem Daume.
Sage, wer trägt die Birne im Schoß,
den Apfel, die Eierpflaume?

Breit auseinander setzt Schenkel und Knie,
weil schon Spilling und Mirabelle
höher sich wölben voll Saft und Magie,
die Natur auf der Sommersschwelle.

Bis an den Umkreis der Schale erfüllt,
sind die Früchte nur mit sich selber,
und in die flimmernden Lüfte gehüllt,
überläuft es sie blauer und gelber.

Pochender Aufschlag. Was trägt und enthält
ist das Ganze von Allen geboren.
Innen ward Außen. Was ungepflückt fällt,
geht wie Traum an das Ganze verloren.

Scharren im Laube. Ein brütendes Huhn
sitzt getrost auf zerbrochenem Rade.
Zeit, wohin fließest du ? Nach Avalun . . .
Süßes, wie heißest du ? Kern in den Schuhn
purpurblaun, gelben ? Du wirkendes Ruhn ?
Und ein Jegliches antwortet: Gnade!

Merkur

O helle Hand im Fingerkraut
des tiefen Sommers feucht betaut
vom Speichelglanz der Otter,
o scheue Kralle, Gänsefuß,
genarbter Wolkengang im Fluß
und Hahnentritt im Dotter,

o leichte Sohle, zarter Zeh
und Windspur in dem hohen Klee,
der sich am Abend kerbte,
geflammter Lurch im Feuerglas
des bleich geglühten Jahres, das
erschrocken schrie und scherbte,

du Schauder, der aus Nun und Nie
erbaute Sehne sich und Knie
und einer Botschaft Blase,
du Nachtgefühl, das täuscht und tauscht,
sich umdreht wie ein Dieb und lauscht
mit langer Ahorn-Nase,

du Seelenführer, Handelsmann,
gehst Kälberlab und Kernobst an,
den Herzkeim in den Nüssen — —
Der Kern wird schwarz, die Lab gerinnt,
und der zuletzt kommt, er gewinnt
die Braut mit Kranz und Küssen.

Waage

Des Jahres Dämon, dunkel überschattet
vom Laubgewölbe, dessen Last man stützt,
hebt an den Himmel die gerechte Waage,
von deren Zünglein eine große Klage
zu künden weiß, daß, wenn der Staub sich gattet,
es mitten schon im Fruchtgewebe sitzt.

Er beugt sich vor, und seine Adern teilen
sich als ein Strom, der in das Delta geht.
Wie Donner dröhnt das milde Obstgefälle
in seinem Haupt, und eine Purpurwelle
von süßem Schlaf verkündet im Enteilen,
daß Tag und Nacht im Gleichgewichte steht.

Des Jahres Dämon, dunkel überschattet
vom Laubgewölbe, dessen Last man stützt,
hebt an den Himmel die gerechte Waage,
belädt die Schalen, fragt nicht, welche trage
das Korn, die Wicke, die das Korn ermattet —
bis unbewegt die Eisenzunge blitzt.

Saturn

Saturn, der Bauer mit den starken Hüften
aus Gold und Kot, aus Fleisch und wilden Haaren,
gedörrt, gerillt, gebeizt von allen Lüften,
die in den zwölf Kalendersäcken waren —
der Bauerngott,
o Trauern, Spott und große Jammerschelle,
sitzt auf des Jahres Schwelle.

Er schweigt und schmeckt noch einmal unterm Gaumen
den jungen Lauch, die Milch der Roggenspindel,
erinnert sich, den Finger überm Daumen,
der süßen Erbse eingebundner Windel,
und wie zu Tag
die Bohne lag, von Ceres ausgefabelt,
als er sie abgenabelt.

Hier wuchs versteckt ein Pelz der Hagebutte
und dort ein Bart, wo es der Sommer wollte,
der Walnuß schwoll die derbe Lederkutte,
es gor das Mehl der fetten Hopfendolde —
der Tag, wie heiß!
Die Granne weiß — und schwarz die Schlummersamen,
wo sie zur Erde kamen . . .

Ihm war es recht. Er stellte seine Hippe
ins Mittagsblau und blies die Federkrone
der Weide fort, versuchte an der Lippe,
ob schon im Schilf der harte Triller wohne,
das Ruchgras sprack,
der Pastinak am Grund voll Zucker wäre
und herb die Efeubeere.

So ruhte er und aß von allen Früchten
den dunklen Kern, zerbiß die Schalen, Schoten,
den Spelz, die Kapsel mit den Nachtgesichten
des Bilsenkrauts, und am Geruch der Toten
verdarb sein Blut,
gefleckt von Wut und Frost wie Scharlachdahlien,
zum Fest der Saturnalien.

Nun ist er krank und toll von seinen Kindern,
die ihm im Haupt, Gekröse und Geschlechte
als Giersch und Gauchheil tückisch überwintern —
und es zerfällt, dem eignen Fraß zum Knechte,
der Zeitengott,
o Leiden, Spott und große Jammerschelle,
auf jeder Jahresschwelle . . .

Schneckenhaus und Rose · I

Zart gedrehte, kleine Tschorte,
wolkengraues Haus.
Spiel der Luft vor deiner Pforte
tanzt die Klage aller Orte:
,,Weiß nicht Ein, noch Aus . . .''

Ariadnes leere Schale,
dunklen Fadens Gang,
süßer Zauber der Spirale —
Theseus! ruft es hundertmale,
Theseus? fragt es bang.

Kehre wieder! summt die Höhle,
seufzt das Heiligtum.
,,Nicht zu dir — die ich erwähle,
Rose, der ich mich vermähle,
dir kehrt Theseus um!''

II

Unverführter Liebesgüte
innerstes Gezelt!
Wo sich Duft und Form der Mythe
(Labyrinth und reine Blüte)
weithin offenhält,

ganz in Hauch gelöster Hades,
wenn einst Blatt um Blatt
fällt, und an dem Ziel des Pfades
Krümmung und der Schwung des Rades
Endlich Ruhe hat —

sprichst du nicht: da unter Laren
Liebe ihr euch schwurt,
Ariadne, laß nun fahren
deinen Helden in den klaren
Schoß der Neugeburt!

Die Rose

Begreift ihr nun? Mein Ursprung ist der Hauch.
Ein Hauch ist nichts. Und ist der Name auch.

Erfühlt es tief. Mein Ende ist der Duft.
Sehr sanft entläßt ihn meines Namens Gruft.

Die Gruft ist leer. O neu gehauchtes Glück:
die Welt strömt ein. Ich atme sie zurück.

Steinheilig

Die Flurkapellen verschlafen die Zeit,
Bildstöcke sind dem Vergängnis geweiht.
Maria härmt sich tief bei Baum und Laub,
Ihr blaues Kleid schlug Regen, beizte Staub.

Sankt Kilian glänzt in hoher Sonnenflut,
Sein Krummstab maß die Welt, grau ist sein Bischofshut.
Unsterblich lebt sein Wort im Traubenland,
Sein Herz ist nah und seine Mittlerhand.

Ihm glänzt der Busch, ein Morgendorf ist froh,
Die Sonne brennt im Wald, im Weizenkorn, im Stroh.
Der Fruchtbaum drängt ihm seine Frucht ans Herz:
Süß ist der Herbst, schön war der Mai, der vogelfrühe März.

Weit kommt der Wind mit Wohlgeruch und Kuß.
Weinkrüge stieß er um und wusch den Mund im Fluß.
In zarter Klarheit schwindet das erfüllte Jahr,
In dem ein Heiliger Schirmherr war.

Spuk

Oboen quellen — in einer Wolke weiß
Sitzen die ewigen Bläser.
Hier brennt ein goldner Zauberkreis,
Blüten wie Wein, Blüten wie Blut, betäubend dampfen
    die Gräser.

Der Saft schäumt in den Wurzeln heiß,
Der Wipfel drängt ins Licht sein Glück.
Ich sinke in das Land zurück,
Blumen rot und Blumen weiß, hier tönt ein süßer
    Bläserfleiß.

Der Schatten wächst an hoher Wand.
Wie schwillt des Obstes zarter Preis!
Die Wolke duftet, ausgesandt:
Früchte rot und Säfte weiß, die Bläser schlafen, Wind
    weht leis.

Der gute Mäher

Durch Dornen lief der Leidensweg, auf dem ich wund
    gegangen bin,
Mich quälte Mensch mit Gottgesicht, mit Händen weiß
    und bösem Sinn.

Ich ging in Sommeraue hin, wo Nattern lagen im Gefild
Und Reiher an den Flüssen standen,
Die wilden Gottesabgesandten.
Die Blumen weinten zarte Tränen, und Honig wuchs
    in Waben mild.

Der irishelle Abend sank, der Weg erlosch in Mohn und Rot,
Und Lilien blühten wunderbar.
Ein ungehemmter Vogellaut versüßte Luft und
    Schierlingstod,
In dem der gute Mäher war,
Der spät noch in der Ebne schnitt,
Der spät bei Tod und Vogelruf die weißen
    Himmelssterne schnitt
Und schnitt das Kraut der Bösen mit.

Tod in Asien

Gelb brennt der Stein, ich bin mit Fels und Land allein,
Die Myrrhe wuchs im Morgen auf, der Lorbeer schloß
    ein tiefes Haus,

Gestalt und Tier tritt nicht heraus,
Ich bin mit Baum und Luft allein, mein Leib schlug
  eine Wurzel ein.

Ich ging in eine Mythe fort, vor Alter fiel mir lang das Haar,
Gras sproß durch meine Kleider grün, ich fühle rote
  Blumen glühn,
Durch meine Brust, weit durch mein Herz schoß eine
  Sternenranke kühn,
Und sonderbar singt durch mein Blut ein Vogel hin,
  durch Tag und Jahr.

In Ländern rollt ein blaues Meer, und Fisch und
  Perlen rollen her,
Ich sehe Schein aus einer Stadt aufleuchten in dem
  süßen Sund —
Doch weiß ich von der Stadt nicht mehr.

Durch Sommerschluchten rinnt der Met, ich neigte
  mich mit jungem Mund:
Wie trank ich Luft und Land voll Wein,
Und wußte von mir selbst nicht mehr, als sei ich Fisch
  und Meer und Stein.

Heimsuchung

Wenn ich zu Staub vergehe,
Komm ich im Abendwind,
Alte Gassen ich wehe,
Wo Sterne und Sagen sind.

Ich rüttle an deinen Türen,
Du wirst mich im Dunkeln verstehn,
Den tödlichen Atem spüren,
Wenn Schritte vorübergehn.

Mich hat eine Flamme getrunken,
Aus Schlummer und flutendem Gram.
Ich bin in die Mutter gesunken,
Aus der meine Blüte kam.

Ich gleite mit langen Blitzen
Über dein irdisches Haar.
Ich werde am Herd mit dir sitzen,
Wo meine Wärme war.

Ich hebe die Kerze im Raume
Und lösche sie knisternd aus:
Der Mond verbrennt im Baume,
Zu Asche wird das Haus.

März

Über der Isar fliegen
Die Möwen im knatternden Wind.
Die Enten schnattern und liegen
Am Ufer dann still. Es sind

Die Wolken nie höher gestiegen
Als diese Stunde im März.
Die Möwen schreien und fliegen
Der taumelnden Sonne ans Herz.

Neue Lust

Die Häuser rücken die Dächer schief
Wie verliebte Schuljungen.
Der Brunnen, der den Winter verschlief,
Ist wieder silbern entsprungen.

Fensterblumen im leichten Wind
Zischeln mit grünen Zungen,
Wie Mädchen, die süß hinschwankend sind,
Zu Ranken und Ketten verschlungen,
Geschaukelt von Frühling und Wind.

Im Tiroler Wirtshaus

Als erster kommt der Hahn.
Er kräht im Tau sein Frühsignal
Beim Röhrenbrunnenwasserfall —
Und nicht viel später dann

Orgelt die brumme Kuh
Ihr dröhnendbraunes, schallendes,
Von der Holzwand widerhallendes,
Wiesenblumes Muh.

Dann schlagen Türen auf und zu,
Dann spritzt der erste Tropfen Licht
Mir mitten ins Gesicht.

Ich fahr empor im Nu,
Tief aus der weiß und roten Polsterruh,
Tief in die schwarzen Nagelschuh.

Der Kuckuck

Der Mai ging hin, im Blütenrausch sterbend. Stark
Nun kommt der Juni, knabenhaft nicht mehr, nicht
Mehr Frühling. Sommer! schreit er lauthals,
Über die Wälder hin schreit er: Kuckuck!

Der Kuckuck schweigt und seine Genossin nicht.
Die will die Lust auch. Späher im Busch, du hast
Das Paar ertappt und sahst es einig?
Purpurrot glühen der Mond, die Sterne.

In fremden Nestern wächst dann die Brut heran.
Der Erbe stürzt. Und siegerisch lärmt das Pack.
Den kleinen Müttern hüpft das Herz: Sie
Wundern sich über die starken Söhne.

Sommergefühl

Kurzer Sommer, glühender, bleib! Dein Anhauch
Zwar verdrießt das ängstliche Gras. Das Korn doch
Liebt dich, der sich rötende Wein. Die Grille
Singt dir ein Loblied,

Und die Lerche, wenn sie ins Blaue klettert,
Tut es trillernd, dir zu gefallen, und des
Wilden Klatschmohns purpurne Blüte ist ein
Feuriger Juhschrei!

In den kühlen, glänzenden Nächten richtet
Sich das grüne Gras wieder auf. Die Schnecke
Wandert durch das taunasse Land und sieht nicht
Oben die Sterne:

18*

Ihren Fühlern sind sie entrückt! Sie fürchtet
Jetzt schon wie die Kröte im schwarzen Hohlweg,
Wie der Salamander im Sumpf den süßen,
Rosigen Morgen.

Raubritter

Zwischen Kraut und grünen Stangen
Jungen Schilfes steht der Hecht,
Mit Unholdsaugen im Kopf, dem langen,
Gestachelt die Flossen: Raubtiergeschlecht.

Unbeweglich, uralt, aus Metall,
Grünspanig von tausend Jahren.
Ein Steinwurf! Wasserspritzen und Schwall:
Er ist blitzend davongefahren.

Butterblume, Sumpfdotterblume, feurig, gelblich rot,
Schaukelt auf den Wasserringen wie ein Seeräuberboot.

Wespen-Sonett

Das Stroh ist gelb. Das ist Septembers Farbe.
Die fette Birne ist so gelb wie er,
Und für die Wespe da, daß sie nicht darbe:
Verspätete, sonst flögen viele her!

Die goldne Sonne hängt am Himmel schwer,
Gelb wie die Birne, die zersprungen klafft.
Die Wespe trinkt bedächtig von dem Saft:
Die Birne, weiß sie, wird so schnell nicht leer

Und trocken sein, und nichts als dürre Haut!
Vom Himmel oben, der gewaltig blaut,
Strömt überreifes, süßes Licht hernieder.

Die Wespe trinkt. Bei jedem Zuge rührt
Die Brust sich ihr, spannt sich das enge Mieder,
Das ihre fräuleinshafte Hüfte schnürt.

Apfelbäume im Herbst

Eitel macht sie es nur, daß sie auf Krücken gehn!
Schon riß blutend ein Zweig, weil ihm die Last zu schwer:
Ohne stützende Stangen
Brächten sie nie die Ernte heim.

Männer kommen wohl so aus der Gefahr zurück,
Mühsam humpelnd am Stock, lachend und rot vor Stolz:
Gerne zeigen die Sieger
Ihre glänzenden Wunden her.

Jägerglück

Du bückst dich, hältst ein Vierblatt empor, als gäb
Es viele: aber andere suchen lang
Im grünen Kleefeld glücklos. Dir doch
Zeigt es sich gern, das sonst so scheu ist.

Und wills die Stunde, brauchst du wie träumend nur
Das Flintenrohr zu heben im Wald: schon stürzt
Das Reh. Das stieg aus heiterm Talgrund
Eilig herauf, um den Tod zu finden.

Was nicht der List des kundigsten Fischers glückt,
Oft glückts dem Neuling: hoch aus dem Bache schnellt
Er leichter Hand die alte, schlaue
Gumpenforelle ans grelle Taglicht —

Und wild sich schleudernd hilft sie noch selbst dem Feind.
Es zwingt das Herz, das reif ist, den Pfeil herbei.
Drum preise laut den Schuß nicht, Schütze!
Schultre den Bogen und troll dich schweigend!

Was hat, Achill . . .

Unbehelmt,
Voran der Hundemeute,
Über das kahle Vorgebirge her
Auf ihrem Rappen eine,
Den Köcher an der bleichen Mädchenhüfte.

Ein Falke kreist im blauen, großen,
Unermeßlich blauen,
Großen Himmel.

Er wird niederstoßen,
Die harten Krallen und den krummen Schnabel
Im Blut zu tränken, dem purpurnen Saft,
An dem das Falkenvolk sich wild berauscht.

Die nackte Brust der Reiterin.
Ihr glühend Aug.
Die Tigerhunde.
Der Rappe, goldgezügelt.
Sie hält ihn an.

Mit allem Licht
Tritt aus den Wäldern hervor
Der Mann der Männer.
Die Tonnenbrust.
Auf starkem Hals das apfelkleine Haupt.

Er sieht die Reiterin.
Und sie sieht ihn.
So stehn sich zwei Gewitter still
Am Morgen- und am Abendhimmel gegenüber.

Der Falke schwankt betrunken auf der Beute.
Was hat, Achill,
Dein Herz?
Was auch sein Schlag bedeute:
Heb auf den Schild aus Erz!

Rausch

Rausch, mein riesiger, bartumwallter
Bruder, tritt zu mir herein!
Sieh dies Glas! Das ist ein alter,
Mondscheingelber, feurigkühler, brennendkalter Wein.

Morgenroter, abendroter
Vetter: Saug am Ziegenschlauch,
Daß ein butterheller, fetter
Wein dir salbt den Bauch!

Neige dich, mein riesenhafter
Purpurbruder, über mich!
Torkelnd, ein erschlaffter
Knabe, dem das Wangenrot verblich,

Berg ich tief mich in den Falten
Deines Kleides. In den roten Klüften
Träume ich die alten
Träume, hingelagert an den Hügeln deiner Hüften.

Abend

Wenn der Dämmerung schwarzes Licht
In der Stube liegt,
Der Ledersessel, schief vor Gicht,
Dreimal schnattert, fliegt
Der Abendvogel bald, ein stummer
Geier, Kahlhals, Federflaumgespenst, herein.

Schweigend hockt er, schnabelruhig, schwarz wie Kummer
Auf dem Schranke, daß der Ofenspalt, ein krummer,
Lippenschwerer, roter, dummer
Feuermund aus Kohlenstein,
Fängt an zu schrein,
Fängt wie besessen an zu schrein.

Krähen im Schnee

Die schwarzen Krähen auf dem weißen Feld:
Der Anblick macht mein Herz erregt.
Es stäubt der Schnee. In Wirbeln kreist die Welt.
Sie sitzen auf den Bäumen unbewegt.

Die Zaubertiere aus der alten Zeit,
Sie sind bei uns nur zu Besuch.
Sie tragen noch das Galgenvogelkleid,
Sie hörten einst den rauhen Henkerfluch.

Was denken sie? Ach, du errätst es nicht!
Sie starren einsam vor sich hin.
Der Himmel hat ein milchig trübes Licht.
So war die Welt im ersten Anbeginn.

Nun naht vom Wald her sich ein neuer Gast.
Die andern sehen ihm nicht zu.
Er läßt sich nieder auf dem weißen Ast.
Und dann ertönt auch durch die Winterruh

So rauh wie hohl der alte Krähenschrei.
In ihm ist Langweil und Verdruß.
So hocken sie, das schwarze Einerlei,
Und wirbelnd fällt der Schnee, wohin er muß.

Der Garten haucht

Der Garten haucht. Die Sonne glüht.
Mein Fensterchen im Wind sich müht
und schimmert auf und schimmert zu.
Die Stube träumt in Sommerruh.

Die Stube trank den Rosenduft!
Und Stuhl und Tisch und Säulenschrank
Traumschwanken durch die runde Luft.
Vom Ofen schwimmt die Bank.

Die Mutter goldne Äpfel schält.
Die Stubenuhr, voll reifer Zeit,
der Stunde leis ihr Stimmlein leiht.
Ich schlummere, mit Gott vermählt.

Herbstbeginn

Der Hirte singt zum Abendstern.
Im Apfel bräunet sich der Kern.
Wipfelmüd die Bäume schweigen.
Nebel in die Wiesen steigen.
Beere sich an Beere hängt.
Zur Aster sich die Hummel drängt.
Der Kern aus reifer Pflaume quoll.
Ein Birnlein in der Faust mir schwoll.
Ich sauge mich ins Fruchtfleisch ein,
die Wange heiß vom ersten Wein.

Oktobernacht

Die Dörfler ruhen totenfromm.
Du Mond der Mägde, komm, o komm!

Die Fenster schaufeln Himmelslicht.
Windreif das Laub vom Wipfel bricht.

Mein Herz begehrt den Schlummerlohn.
Es hält die Nacht so goldnen Ton.

Um Mitternacht

Ich lag so tief im Schlummer,
ich trug so süßen Traum,
da schüttelte ein stummer
Goldwind das Laub am Baum,

und seufzend bin ich aufgewacht.
Vom Turme läutet Mitternacht.
„Wohl allen Guten",
hör ich den Dorfwart wachfroh tuten,
„ein Tagwerk ist in Gott vollbracht!"

Der Wind hochhält des Vorhangs Saum.
Ich schluchze wild nach meinem Traum.
Einmal noch möcht ich küssen den Mund,
zu Tränen weinen die grünstolzen Tannen des Walds,
der mich Liebenden barg, mich Grenzenlosen, mich
Hinsiegenden . . .

Auferstehung

Bald fliege ich von dannen,
mein Kerker birst entzwei!
Und die mich wollen bannen,
erwürgt der Engel Schrei.

Auf fahre ich und lache
und gürte mich mit Licht,
daß ich mich fertigmache
fürs himmliche Gericht.

Meine Seele hocket heiter
als Taube auf dem Dach
und flieget fort und weiter,
und Trauer glänzt ihr nach.

Niemandhaus

Verfehmte Wipfel ächzen auf,
Ein Wandrer fand zum Niemandhaus.
Kein Weg führt ein und aus,
Du tiefe Welt, kein Weg zu dir, nur Nacht und
     schwarzer Wind ist hier
Um Giebel, First und Knauf.

Im Flur die Uhr knurrt zeitverdorrt,
Gebälk hängt welk, der Krug ist leer.
Wer hierher kommt, der weint nicht mehr,
Du wehe Welt, nie mehr
Verflucht von deinem Wort.

Ihn hat die Schwermut müd gemacht,
Er legt sich still zu Staub und Flaus.
Das Angesicht im Mondenlicht schläft er und
     träumt nicht aus,
Du schwere Welt, träumt nie dich aus
Bei schwarzem Wind zur Nacht.

Andreasnacht

Mutter häng den Spiegel zu,
Gib mir Ring und Spange,
Riegle Tor und Türe zu,
Stand schon wer im Gange,
Draußen in dem Wind!
Deus meus, ach Andreus,
Sei mir wohlgesinnt!

Sparren knarrt und Spinne webt
Fädlend hin und her.
Draußen pocht es dumpf und schwer,
Und das Mädchen bebt.

Schaut verschämt mit roten Wangen:
Deus meus, ach Andreus,
Kam doch wer gegangen?

Doch der in die Stube tritt,
Kann es nimmer sein,
Kommt mit schwerem Flößerschritt
Nebelgrau herein.
Deus meus, ach Andreus,
Laß mich dich erkennen!
Doch die dunkeln Augen brennen
Fremd und ohne Schein.

Deus meus, ach Andreus,
Wie soll ich dich nennen?
Sagt der Fremde ohne Gruß:
Wirst mich schon erkennen,
Riefst im Schilf den Fluß hinab,
Als ich kam geschwommen,
Brachst vom Stoß dies Hölzlein ab,
Das ich mir genommen.

Lieber Gott, o Mutter hilf!
Schütz mich, heilig Wort!
Sagt der Mann aus Schlamm und Schilf:
Tu die Spange fort,
Brauchst sie nicht, die Jungfernsachen,
An dem kühlen Ort,
Wo wir Hochzeit machen!

Deus meus, ach Andreus,
Angelweit steht auf das Tor,
Mutter kniet am tauben Herde,
Drin die Glut vergor:
Ein Geruch von Fluß und Erde
Haucht verwest hervor!

Fastnacht

Jene Fastnacht — ja, so wars, ihr Leute,
Eisgang donnerte im Fluß,
Klang wie geisterndes Geläute
Zwischen Scherz und Kuß.

Pauke, Waldhorn, Klarinette:
Lustig gings im Wirtshaus zu,
Bis der Strom aus seinem Bette
Aufstand ohne Ruh.

Schneevermummt, mit grünem Zapfenzahne,
Aus des Wassermannes Reich,
Stieg dann einer aus dem Kahne,
Alle schauten bleich . . .

Wen er sich zum Tanz genommen,
Keiner weiß es heute mehr,
Eine Larve ist hinabgeschwommen,
Rauhreif hinterher.

Mückenlied

Dampfig hängt die blaue Blässe,
Die den Tag vertrübt,
Und es duften aus der Nässe
Süßer Thymian, bittre Kresse,
Wo der Regen stiebt.

Dunkler Abendmund, der Stille
In die Wiesen haucht,
Keine Amsel, keine Grille,
Nur des Mückenflugs Geschrille,
Wo der Nebel raucht.

Leises fühl ich tastend streifen
Lippen, Haar und Haut,
Tanzgewölke, nicht zu greifen,
Spinnwebschleier, Mädchenschleifen,
Wo die Dämmrung graut.

Schwerer Tropfen aus den Zweigen,
Der den Teich beringt —
Ach, ich will mich drüber neigen,
Wird der Spiegel dich mir zeigen,
Wo die Mücke singt?

Blinde Tiefe, schwarzes Grinsen,
Und ich bin bekränzt
Grün mit Schilfrohr und mit Binsen,
Wassergräsern, Wasserlinsen,
Wo die Trübnis glänzt.

Plätschernd ist ein Fisch zu hören,
Da er silbern springt,
Doch ich lausch den luftgen Chören,
Mag das Stumme nicht beschwören,
Wo die Nacht eindringt.

Nachtlied für O.

Schlafe du, sei tief versunken
Und vergiß den Tag, vergiß,
Sei vom Monde, von den Sternen trunken,
Werde kühl und leicht und ungewiß.

Treibe wie ein Floß auf deinen Träumen,
Dumpf, beschwert von Blut und ohne Mast und Kiel —
Spann dich aus als Himmel über Bäumen:
Leere, durch die Vogelflug und Regen fiel.

Habe Furcht und wisse keinen Namen,
Sei ein Kind: unmündig, klein und bloß,
Spüre, wie dich harte Hände nahmen
Und dich ehmals rissen aus der Erde Schoß.

Ringsum dunkelt alles vor Gefahren,
Bleib verborgen du, verliere dein Gesicht,
Wandle dich in die, die niemals waren —
Tod und Leben kennen dich jetzt nicht.

Ostern

In der Dämmerung ein kalter Regen,
Der aus müdem Himmel stäubend fällt,
Zwischen Schlehdorn und den Brombeerschlägen
Endet die gequälte Welt,
Leise rührt sich das Entlaubte,
Dem kein Herbst das Leben raubte.

In der Abendluft ein zages Rauschen
Aus dem rostgen Schilf, das trocken bebt,
Atemlos hörst du die Stille lauschen,
Wo die Maulwurfskralle gräbt,
Offen stehn die schwarzen Grüfte,
Ein Gesang durchzieht die Lüfte.

Da die Wurzeln in der Tiefe singen,
Und der Saft im Holz melodisch tönt,
Da aus Erlen goldne Wolken dringen,
Ist der Tod schon ausgesöhnt, —
Den Erstandnen zu entdecken:
Such ihn zwischen Dorn und Quecken!

Die Katzen

Der Wind drängt die zerbrochnen Türen
Ins leere Haus hinein,
Der Wind will meine Schritte führen,
Ich trete zögernd ein,
Die kalten Wirbel schleifen
Um Tisch und Stuhl und Spind
Und rühren Band und Schleifen,
Der Spiegel ist schon blind.

In fahler Runde hallen Schüsse,
Ich trag den Krieg mit mir,
Ich sä den Krieg, als fielen Nüsse
Auch in der Stille hier,
Im Stall die toten Fohlen
Warn ganz verrenkt und glatt,
Jetzt lausche ich verhohlen,
Da raschelt nur ein Blatt.

Der Frost zerfraß die grünen Pflanzen,
Die in den Töpfen stehn,
Bald werden graue Flocken tanzen
Und durch die Fenster wehn,
Schon stäubt die Winterasche
Auf jedes bunte Bild
Aus des Oktobers Tasche,
Der ist nicht sanft und mild.

Die Dämmrung füllt das trübe Zimmer
Wie Sporen den Bovist,
Wo sonst am Ofen Feuerschimmer
Und lauliches Genist,
Da spinnt ein eisger Schatten
Nun Bank und Schemel ein,
Ich fühl den Puls ermatten
Und hör die Katzen schrein.

Die harte Krall in weichen Sohlen,
So glitten sie heran,
Lautlos, auf lockren Dielenbohlen,
Mit einem bösen Bann,
Ich lehne an dem Pfosten,
In Händen das Gewehr,
Die Katzen sind wie Posten
Und dulden mich nicht mehr.

Die Frauen aus den blassen Bildern,
Sie lächeln ihnen zu,
Der Bauer lacht, weil sie verwildern
In Bett und Häckseltruh,
Ich kann es nicht vernehmen,
Doch spür ich, wie es lacht,
Hier ist nichts mehr zu zähmen,
Ich gehe in die Nacht.

Die Verzauberte

Den grünen Leib der Libelle,
Das Auge der Unke dazu,
So treibe ich über der Welle,
Dem murmelnden Mund der Quelle,
Die strömt aus dem dunkeln Du.

Hörst du mich?
Siehst du mich?
Ach, ich bin unsichtbar
Im weißen Spinnenhaar,
Im wirren Gräsergarn,
Unter Dorn und Farn.

Alles, was flüstert und schäumt,
Alles, was schauert und bebt,
Bin ich, die einsam träumt
Und im Entschweben lebt.

Im Schilf, im Ried
Singt ein Vogel mein Lied,
Liegt das Schwanenkleid
Meiner Flucht bereit.

Suche du mich!
Finde du mich!
Bis ich dir wiederkehr
So federleicht,
Ist alles still und leer,
Was mir noch gleicht.

Amsel im Winter

Du süße Kehle, grün und irrend,
Verloren tief im Nebelgrau,
Erlahmter Flügel, furchtsam schwirrend
Wie Fledermaus vor Tag und Tau,

Im Dunkel wächst der bleiche Schimmel,
Der Pelz der Nässe färbt sich schwarz,
So singe du den hellen Himmel,
Den Duft der Pappel, goldnes Harz.

Der Wind zerbricht die Blätterrippen
Und Regen tropft auf totes Gras –
Es klingt von unsichtbaren Lippen,
Die Flöte dringt durch Schleier blaß

Und schmilzt in Dämmertraum und Feuchte
Zu früh wie Weidenrohres Ton,
O Amsel, klage, bis es leuchte,
Das junge Jahr vom blauen Thron.

Immortelle

Du liegst nun wie lange her
Unter Efeuranken,
Lilie blüht aus Nimmermehr,
Rose aus Gedanken,

Aus der Erde schwarzer Gruft
Tasten grüne Hände,
Blumen sanft in Sommerluft,
Blumen ohne Ende.

Duftest du von alter Zeit,
Süße Immortelle,
Dann tritt die Vergangenheit
Hell durch Tür und Schwelle,

Dann wird Tag zum blassen Schein
Der vergangnen Lieder,
Schatten kehrt in neues Sein
Glänzend, lächelnd wieder:

Weißt du noch, wie einst es war,
Ach, es war erst eben,
Weißes Kleid und braunes Haar,
Jugend, schönes Leben,

Tanzend flogst du voller Lust
Durch die frohen Lauben,
Federkranz um Hals und Brust,
Zarter Schmuck der Tauben,

Singen in die Nacht hinein,
Rauschen in den Zweigen,
Glühend ruhte, dunkler Wein,
Mund auf Mund im Schweigen.

Alles schien wie Bild und Traum,
Dämmer, weite Ferne,
Und du sahst die Trauer kaum
Anders als die Sterne —

Leicht wie eines Falters Spur
Folgtest du, o Seele,
Früh und später, immer nur
Eigenem Befehle,

Schwebtest über stillem Grau
All der letzten Jahre,
Ahnte doch der Augen Blau
Noch das Wunderbare.

Efeu ward zum Bett bereit
Für die Flügellose,
Drüber haucht Unsterblichkeit
Immortelle, Rose.

Die Magd

Wenn laut die schwarzen Hähne krähn,
vom Dorf her Rauch und Klöppel wehn,
rauscht ins Geläut rehbraun der Wald,
ruft mich die Magd, die Vesper hallt.

Klaubholz hat sie im Wald geknackt,
die Kiepe mit Kienzapf gepackt.
Sie hockt mich auf und schürzt sich kurz,
schwankt barfuß durch den Stoppelsturz.

Im Acker knarrt die späte Fuhr.
Die Nacht pecht schwarz die Wagenspur.
Die Geiß, die zottig mit uns streift,
Im Bärlapp voll die Zitze schleift.

Ein Nußblatt wegs die Magd zerreibt,
daß grün der Duft im Haar mir bleibt.
Riedgras saust grau, Beifuß und Kolk.
Im Dorf kräht müd das Hühnervolk.

Schon klinkt sie auf das dunkle Tor.
Wir tappen in die Kammer vor,
wo mir die Magd, eh sie sich labt,
das Brot brockt und den Apfel schabt.

Ich frier, nimm mich ins Schultertuch.
Warm schlaf ich da im Milchgeruch.
Die Magd ist mehr als Mutter noch.
Sie kocht mir Brei im Kachelloch.

Wenn sie mich kämmt, den Brei durchsiebt,
die Kruke heiß ins Bett mir schiebt,
schlägt laut mein Herz und ist bewohnt
ganz von der Magd im vollen Mond.

Sie wärmt mein Hemd, küßt mein Gesicht
und strickt weiß im Petroleumlicht.
Ihr Strickzeug klirrt und blitzt dabei,
sie murmelt leis Wahrsagerei.

Im Stroh die schwarzen Hähne krähn.
Im Tischkreis Salz und Brot verwehn.
Der Docht verraucht, die Uhr schlägt alt.
Und rehbraun rauscht im Schlaf der Wald.

Löwenzahn

Fliegen im Juni auf weißer Bahn
flimmernde Monde vom Löwenzahn,
liegst du versunken im Wiesenschaum,
löschend der Monde flockenden Flaum.

Wenn du sie hauchend im Winde drehst,
Kugel auf Kugel sich weiß zerbläst,
Lampen, die stäubend im Sommer stehn,
wo die Dochte noch wolliger wehn.

Leise segelt das Löwenzahnlicht
über dein weißes Wiesengesicht,
segelt wie eine Wimper blaß
in das zottig wogende Gras.

Monde um Monde wehten ins Jahr,
wehten wie Schnee auf Wange und Haar.
Zeitlose Stunde, die mich verließ,
da sich der Löwenzahn weiß zerblies.

Unter Ahornbäumen

Die Sonne springt, ein weißes Geißlein,
von Ahornschatten schön gefleckt,
durchs dichte Gitter grüner Zweige,
wo sie sich scheu ins Goldne streckt.

Wie eine schnelle Töpferscheibe
dreht sich am Boden flach der Wind,
auf dem ein Blätterwirbel steht:

ein Napf aus Laub und andre Zeichen,
als liefen geisterhafte Füße
hell übers heiße Blumenbeet.

Die schilfige Nymphe

Die schilfige Nymphe,
das Wasser welkt fort,
der Froschbauch der Sümpfe
verdorrt.

Am Mittagsgemäuer
der Schatten stürzt ein.
Der Hauch tanzt aus Feuer
am Eidechsenstein.

Im Mittag der Kerzen,
im Röhricht, das schwieg,
ist traurig dem Herzen
Libellenmusik.

Die dunkle Libelle
der Seen wird still.
Es tönt nur das grelle
herzböse Geschrill.

Es neigt sich die Leuchte
ins Röhricht hinein.
Der ödhin verscheuchte
Wind kichert allein.

Oktoberlicht

Oktober, und die letzte Honigbirne
hat nun zum Fallen ihr Gewicht,
die Mücke im Altweiberzwirne
schmeckt noch wie Blut das letzte Licht,
das langsam saugt das Grün des Ahorns aus,
als ob der Baum von Spinnen stürbe,
mit Blättern, zackig wie die Fledermaus,
gesiedet von der Sonne mürbe.

Durchsüßt ist jedes Sterben von der Luft,
vom roten Rauch der Gladiolen,
bis in den Schlaf der Schwalben wird der Duft
die Traurigkeit des Lichts einholen,
bis in den Schlaf der satten Ackermäuse
poltert die letzte Walnuß ein,
die braun aus schwarzgrünem Gehäuse
ans Licht sprang als ein süßer Stein.

Oktober, und den Bastkorb voll und pfündig
die Magd in Spind und Kammer trägt,
der Garten, nun von ihrem Pflücken windig,
hat sich ins müde Laub gelegt,
und was noch zuckt im weißen Spinnenzwirne,
es flöge gern zurück ins Licht,
das sich vom Ast die letzte Birne,
den süßen Gröps des Herbstes bricht.

Dezember

Nun wintert es in Luch und Lanken,
im Graben klirrt das schwarze Eis.
Und Schilf und Binsen an den Planken
stehn unterm Nebel steif und weiß.

Mit Kälte sind bepackt die Schlitten,
die Gäule eisig überglänzt.
Die Gans hängt starr, ins Hirn geschnitten.
Das fahle Rohr liegt flach gesenst.

Das Licht der Tenne ist erloschen.
Schnee drückt der kleinen Kirche Walm,
im Klingelbeutel friert der Groschen
und beizend schwelt der Kerzen Qualm.

Der Wind umheult die Kirchhofsmauer.
Des Todes karges Deputat
ist ein vereister Blätterschauer
der Eichen auf den letzten Pfad.

Hier ruhn, die für das Gut einst mähten,
die sich mit Weib und Kind geplagt,
landlose Schnitter und Kossäten.
Im öden Schatten hockt die Magd.

Die Nacht ist ihre leere Scheune.
Die toten Schafe ziehn zur Schur.
Des Winters Korn behäuft die Zäune,
furcht es die hungerharte Flur.

Der Sturm wohnt breit auf meinem Dache,
wie eine Grille zirpt der Frost.
Und wenn ich alternd nachts erwache,
stäubt Asche kalt vom morschen Rost.

Am Hoftor schwer die Balken knarren,
im Nebel läutet ein Gespann.
Ein Kummet klirrt und Hufe scharren.
Ich weiß, ein grober Knecht spannt an.

Der Wolken Mauer steht dahinter
auf Wald und See und grau wie Stein.
Bald wird das Feuer vieler Winter
in einer Nacht erloschen sein.

Letzte Fahrt

Mein Vater kam im Weidengrau
und schritt hinab zum See,
das Haar gebleicht vom kalten Tau,
die Hände rauh vom Schnee.

Er schritt vorbei am Grabgebüsch,
er nahm den Binsenweg.
Hell hinterm Röhricht sprang der Fisch,
Das Netz hing naß am Steg.

Sein altes Netz, es hing beschwert,
er stieß die Stange ein.
Der schwarze Kahn, von Nacht geteert,
glitt in den See hinein.

Das Wasser seufzte unterm Kiel,
er stakte langsam vor.
Ein bleicher Streif vom Himmel fiel
weithin durch Schilf und Rohr.

Die Reuse glänzte unterm Pfahl,
der Hecht schlug hart und laut.
Der letzte Fang war schwarz und kahl,
das Netz zerriß im Kraut.

Die nasse Stange auf den Knien,
die Hand vom Staken wund,
er sah die toten Träume ziehn
als Fische auf dem Grund.

Er sah hinab an Korb und Schnur,
was grau als Wasser schwand,
sein Traum und auch sein Leben fuhr
durch Binsen hin und Sand.

Die Algen kamen kühl gerauscht,
er sprach dem Wind ein Wort.
Der tote Hall, dem niemand lauscht,
sagt es noch immerfort.

Ich lausch dem Hall am Grabgebüsch,
der Tote sitzt am Steg.
In meiner Kanne springt der Fisch.
Ich geh den Binsenweg.

Späte Zeit (1933)

Still das Laub am Baum verklagt.
Einsam frieren Moos und Grund.
Über allen Jägern jagt
hoch im Wind ein fremder Hund.

Überall im nassen Sand
liegt des Waldes Pulverbrand,
Eicheln wie Patronen.

Herbst schoß seine Schüsse ab,
leise Schüsse übers Grab.

Horch, es rascheln Totenkronen,
Nebel ziehen und Dämonen.

(Auf dem Rückzug)

Am Bahndamm rostet das Läutwerk.
Schienen und Schwellen starren zerrissen,
zerschossen die Güterwagen.

Auf der Chaussee,
den Schotter als Kissen,
vom Sturz zersplitterter Pappeln erschlagen
liegt eine Frau im schwarzen Geäst.

Noch klagt ihr Mund
hart an der Erde.
In offene Augen
fällt Regen und Schnee.

O Klage der Mütter,
nicht löschen die Tränen
die Feuer der Schlacht.

Hinter der Hürde des Nebels,
Schnee in den Mähnen,
weiden die toten Pferde,
die Schatten der Nacht.

(April 1945)

O Nacht der Trauer, Nacht April,
die ich im Feuerdunst durchschwamm,
umweht vom schwarzen Wassergras,
als schwankte Haar auf trübem Schlamm,
mit Pfählen treibend und mit Brettern,
mit Knäuln von Ästen und mit Aas,
versengtem Schilf, vereisten Blättern,
flußabwärts mit den Toten still.

O Grund der Welt, noch ungebunden,
o Pflug, der Gräber nicht verletzt,
o Mensch, verloren und gefunden,
auf morschem Floß noch ausgesetzt,
o öder Anhauch bleicher Lippen,
mit Blut und Regen kam der Tag,
da auf des Flusses steingen Rippen
das Morgenlicht zerschmettert lag!

Aurora

Aurora, Morgenröte,
du lebst, oh Göttin, noch!
Der Schall der Weidenflöte
tönt aus dem Haldenloch.

Wenn sich das Herz entzündet,
belebt sich Klang und Schein,
Ruhr oder Wupper mündet
in die Ägäis ein.

Uns braust ins Ohr die Welle
vom ewigen Mittelmeer.
Wir selber sind die Stelle
von aller Wiederkehr.

In Kürbis und in Rüben
wächst Rom und Attika.
Gruß dir, du Gruß von drüben,
wo einst die Welt geschah!

Der Beerenwald

Der Wald, worin ich einstens war,
liegt noch im gleichen Licht.
Ein Spinnweb hängt sich in das Haar,
ein Zweig schrammt das Gesicht.

Die Heidelbeere schwillt im Kraut,
von Blättern halb versteckt.
Wie hab ich gerne sie gekaut,
ihr dunkles Blut geschmeckt.

Doch wenn der körnig blaue Saft
mir wieder schmilzt im Mund,
wird in der Süße dämmerhaft
die bittere Zeit mir kund.

Ich seh den Wald, der einstens war,
nicht mehr im gleichen Licht,
wo ich gespielt im Kinderjahr,
kenn ich die Kiefern nicht.

Wo ich zu Schmaus und Zeitvertreib
einst schweifte hin und her,
im Dickicht kniet das Beerenweib
und kämmt die Stengel leer.

Gegen vier Uhr nachmittags

Blick durch die Fenster. An allem, was ich sehe,
liebe ich nur das:
Ein leicht zerstörbares Gefühl der Nähe,
ein Geflecht von Liebe und Haß.

Oh könntet ihr fester halten!
Ihr: was Körper ist und fällt.
Ihr, ferner als die Gestalten
der vergessensten Welt.

Ein Schwarm von fliehenden Tauben
oder ein schwach geädertes Blatt,
in späteren Monaten auch die Trauben,
die man ausgekeltert hat.

Flüchtiges und an keinem das Schwere
und der Dinge Blut und Fluch,
nur das an ihnen wie an der Beere
Geschmack und Geruch.

Nur das Nichts, das mit unlösbaren Krallen
sich ins Gedächtnis hängt
und jeden neuen Tag mit allen
alten Tagen vermengt.

Niederschönhausen

Willst du dem Sommer trauen?
Es schafft im alten Parke
der Gärtner und die Frauen
mit Karren, Korb und Harke.

Im Laubhaus der Platanen
glänzt die gefleckte Rinde.
Wir und die Blätter ahnen
die Ewigkeit im Winde.

Wo schwarz die Amseln gaukeln,
die Kehle voller Lieder,
an langen Schnüren schaukeln
die Früchte her und wider.

Ich weiß nicht, wann sie fallen.
Oh Tag in alten Bäumen!
Jäh ist mir eingefallen,
wie wir die Zeit versäumen.

Photographie

Ich erinnere mich vage
an Datum, Stunde und Jahr.
Wirklicher sind nur Tage,
in denen niemand war.

Und die geringen Spuren
davon verdunkeln sich schon,
Zeit und Schlag der Uhren,
Sternbild, Vegetation.

Nichts bleibt als das Unsichtbare.
Gedanken decken mich zu.
Spiegelbild, Augen und Haare,
ebenso nahe bist du.

Mit der die Gestirne schliefen,
du Firmament aus Haar,
die Schreiberin von Briefen,
Herz, das den Traum gebar.

Daß alles, was ich sage,
dich hüll in Finsternis!
Antwort auf keine Frage,
Satz fremd und ungewiß.

Dich, Ferne, zu beschwören,
ist ohne Sinn.
Ich kann dich sehn und hören,
erst wenn ich ohne dich bin.

Schuttablage

Über den Brennesseln beginnt,
keiner hört sie und jeder,
die Trauer der Welt, es rührt der Wind
die Elastik einer Matratzenfeder.

Wo sich verwischt die goldene Tassenschrift,
im Schnörkel von Blume und Trauben,
wird mir lesbar, — oh wie es mich trifft:
Liebe, Hoffnung und Glauben.

Ach, wer fügte zu bitterem Schmerz
so die Scherben zusammen?
Durch die Emaille wie durch ein Herz
wachsen die Brennesselflammen.

Im verrosteten Helm blieb ein Wasserrest,
schweifenden Vögeln zum Bade.
Verlorene Seele, wen du auch verläßt,
wer fügt dich zusammen in Gnade?

Nacht in der Kaserne

Teerdunkle Nacht, Traum bei geöffneten Lidern.
Genagelte Stiefel hallen in Fliesengängen
und in den öden Kammern des Herzens wider,
wo sich Kommandos und Trauer sinnlos vermengen,

wo der Geruch von Schweiß und ungelüfteten Spinden
übers Geweb des Gefühls wie mit Schimmel wächst.
Schlafdunkle Nacht, oh deine Tiefe zu finden,
wo du die Lider über die Schweigenden deckst!

Erwachendes Lager

Bei der ersten Begehung
morgens im Dämmerlicht
ist es wie Auferstehung
im Lager beim Jüngsten Gericht.

Geweckt vom Lärm in den Lüften
der donnernden Engel aus Erz,
heben sich in den Grüften
die Augen himmelwärts.

Der Nachbar von Wurm und Käfer
hat mächtig den Morgen gefühlt.
Ein Erdloch entläßt seine Schläfer,
die Gebeine vom Nachttau verkühlt.

In den verwirrten Köpfen
weckt Hunger den alten Brauch:
das Feuer unter den Töpfen
qualmt als ein Opferrauch.

Wenn erst wärmend die Sonne
auf den Hönninger Höhen sich hebt,
ist es Auferstehungswonne,
die schauernd die Schläfer belebt.

Die ungeschorenen Locken
schütteln sie übers Ohr,
wenn mit den ersten Glocken
lobpreiset der Lerchenchor.

Frühling in der Goldenen Meil

Daheim verbrannten Kleider und Schuh,
Nibelungen und Faust.
Ich schaue dem Flug der Mosquitos zu,
mit fiebrigen Augen, stumpf und verlaust.

Die Tage im Stacheldrahtgeflecht,
Schlaf unterm Scheinwerferstrahl.
An Achselhöhle und Geschlecht
nähre ich Ekel und Qual.

In trübe Stille das Lager versinkt.
Mein eigener Seufzer füllt kein Ohr.
Als Gruß der Welt noch herüberdringt
der Geruch von Latrine und Chlor.

Ungerührt von allem besteht
die Vollkommenheit der Welt.
Gottes eisiger Odem weht
übers Gefangenenzelt.

Abends am Zaun

Am Abend duftet holder die Kamille
vom Feldrain her. Der Posten bläst ein Lied
auf seiner Okarina. Gottes Wille
im Glanz des Abendsternes sich vollzieht.
Wie viele doch sind nun für immer stille,
die gerne sich erfreut an Stern und Lied!
Nun sind sie selbst darin und Gottes Wille
in Glanz und Duft und solcher Abendstille
geschieht.

Urlaub

Die Rosen welk, das falbe Gras,
aus tausend Himmeln rann das Licht,
das letzte, das die Welt besaß.
Schon war der Schuh vom Taue naß.
Dies war der Herbst. Wir wußtens beide nicht.

Im Laube schlug das letzte Blut.
Die Vogelbeeren glühten prall
und mundeten den Drosseln gut.
Holunder wog des Sommers Glut.
Das Jahr schrak vor der reifen Äpfel Fall.

Holunder schwarz, Holunder süß
glänzt dunklen Tränen gleich im Laub.
Sie schlürft das Kind. — Ach, war nicht dies
ein Wink, der in den Frühling wies?
Wir wissens nicht, wir zwischen Stern und Staub.

Da war der Garten, und da war der Wald,
der volle Kirschbaum und die stille Tanne,
das Brot, der Honig und die braune Kanne
mit gelber Milch, der Speisen Mannigfalt.

Da war mit Schnitzwerk der gezierte Schrank,
die alte Truhe, an der Wand die Zither.
Da war der Blitzstrahl und das Nachtgewitter
und Sonne einen heißen Sommer lang.

Es gab den Winter, und es gab den Schnee,
den Tag, da Engel zu den Hirten sprachen
und unter süßer Last die Zweige brachen.
Es gab die Spur des Hasen und das Reh.

Wie eng und heimlich dünkte da die Welt
und war doch Brand und Krieg und Tod und Klage
und ferner doch als eine alte Sage,
die fremd und kühl in unser Leben fällt.

Ach, kaum begreifen wir in diesen Tagen
des Atems Hauch und kaum des Herzens Schlagen.

Alles ist Staub. Da sind nur Stufen.

Eisen und Fels und der mürbe Boden,
den dein Spaten aushebt, das feste
steinerne Haus und die Hütte aus Lehm,
zerriebenes Korn, der gebrannte Teller,
von dem du dein Brot ißt;
Staub der Zahn, der es mahlt; die lästige Notdurft.
Staub dein Leben und Fleisch, untermischt
mit Wasser, viel Wasser, und —
gar gebacken vom Licht, von der Hitze
glutenden Sterns, zusammengehalten
eine bescheidene Weile von dieser Spannung
zwischen Gär'n und Verfall,
zwischen Dürsten und Stillung.
Staub, aufstiebend im Lichte und funkelnd
wie die Fruchtung von Blumen im Frühling
oder der silbrige Puder auf Schmetterlingsflügeln;
müder, erblindeter Staub im Dämmer von Böden und
wesender Staub in sechs eichenen Brettern,   [Kellern;
sechs Fuß unter dem Lichte.
Da sind nur Stufen.

Trotzdem gefällt es zuweilen dem Staube,
aufzustehen gegen den Staub. Dann hassen
Fleisch sich und Fleisch. Paläste

werfen sich über die Hütten. Das Eisen
dringt in die Ruhe des Steins.
Unreifes Korn stirbt unter den Tritten
kriegender Heere. Schüsseln und Teller zerbrechen,
Zähne und Wirbel . . . Die ganze
leise und lüsterne Spannung zwischen den Dingen
springt mit einem einzigen Ruck aus den Angeln,
ballt sich zum Knäul, zu einem
berstenden Kern von Atomen und treibt
alles Gehaltene irr auseinander. Am Ende
ist da ein Staub, derselbe,
der einmal war, einmal sein wird.
In ein paar Tagen, Wochen und Jahren
haben sich Metamorphosen eines Jahrhunderts vollzogen.
Eisen stirbt schneller und kehrt
in die Erde zurück. Mörtel stirbt schneller.
Fleisch verbrennt in Stunden, Sekunden.
Rost und Asche und Moder, —
ach, welche Eile . . .

Begegnung

Ich kniee hin am Brunnenrand
der lauen, blauen Nacht,
zu schöpfen mit der hohlen Hand,
was mich vergessen macht.

Hin durch des Schweigens sanfte Flut
zieht halbes, falbes Licht.
Und wie der Mond im Schatten ruht,
erscheint mir ein Gesicht:

Ein Auge, das nicht Auge ist,
der Wange bange Flucht,
die Schläfe, die sich selbst vergißt,
des Mundes stumme Schlucht.

Dies alles, nein, gehört nicht mir.
Es treibt und bleibt doch nah.
Es sinkt und steigt, ist dort und hier
und heißt Ophelia.

Nicht anders als des Mondes Bahn
durch Sphären eisiger Glut
treibt sie dahin, ein Wahn im Wahn;
das Haar schleppt in der Flut.

Sie trägt mit sich das stumme Lied,
den ungeträumten Traum
und birgt in einem Fingerglied
das Maß zum Weltenraum.

Versiegelt schläft des Denkens Lust.
Der Schwermut dunkles Gold
liegt in dem Tal der jungen Brust
wie Schlangenschlaf gerollt.

Doch über alles hat die Flut
ihr Scheidetuch gesenkt
und schon entführt — wie fremdes Gut,
was sie geschenkt . . .

Lied der Jahre

Wer bin ich und wie halte ich die Jahre,
die glühn, verflackern, lischen wie der Mohn?
Wohin der Duft? Und wer bewahrt den Ton?
Hoch flog der Ball im Aufwind junger Jahre.
Nun fällt er schon . . . ?

Ist dies verloren, ist es je gewesen?
Schlaf unter Sternen; Küsten meerumblaut;
der Ströme Wandern; Städte hochgebaut? —
Ich könnte wieder alte Straßen gehen . . .
Sie wären nicht vertraut.

Wer bin ich, da mir dies entsunken?
Und wer, vor dem, das Zukunft mir gespart?
Und wer, vom Winde schwach, vom Weine trunken,
inmitten dieses Schwarms und dieser Fahrt
von Seelenvögeln und von Geisterfunken?
Gib Antwort, Gegenwart!

Ich bin, ich atme — eines: Mund und Flöte.
Ich spiele mir ein Lied; ich bin das Lied.
Ich bin der Hauch, der durch die Höhlung zieht,
der Spieler und das Spiel, der Leib der Flöte,
der Flöte Lied.

Was frag ich nach dem Lied verschollner Jahre ...
Ich bin, ich atme. Hör ich nicht den Ton?
Hell schwebt die Wolke. Leuchtend brennt der Mohn.
Die Flöte harrt. Laß singen deine Jahre.
Ich hör sie schon.

Am Strande

Heute sah ich wieder dich am Strand
Schaum der Wellen dir zu Füßen trieb
Mit dem Finger grubst du in den Sand
Zeichen ein, von denen keines blieb.

Ganz versunken warst du in dein Spiel
Mit der ewigen Vergänglichkeit
Welle kam und Stern und Kreis zerfiel
Welle ging und du warst neu bereit.

Lachend hast du dich zu mir gewandt
Ahntest nicht den Schmerz, den ich erfuhr:
Denn die schönste Welle zog zum Strand
Und sie löschte deiner Füße Spur.

Ewige Stadt

(1)

Und was durchschauert Dich, Verlorener
Wenn sie am Tische vor der Schenke sitzen
Und sich berühren? Mann und Frau, begierig
Im Vorgefühl der Nacht. Und wenn die Alte
Daneben mit dem Enkel auf dem Arm
Einschlürft das schlangenähnliche Gericht
Und fetter roter Saft vom Mund ihr träuft
Und wenn das Kind vom Knochenarm gewiegt
Aufstarrt ins feuchte Blau und wirft sich wieder
Ans Herz des Schlafes. Wenn das weiße Hündchen
Das mißgestaltete, am Stuhlbein aufspringt
Und nach den Brocken hascht . . . o todesnah
Des alten Wirtes müder Backenbart
Wie müdes Strauchwerk an die Schläfen wuchernd
Die Knochenhand, die saubre Ziffern schreibt

Zahl unter Zahl und der gehetzte Blick
Der fortirrt, jungen Knabenschritten nach
Wiegenden Hüften, weißen Flatterjacken . . .
Und dort die Larve in der Lockenhaube
Mit Lebensrot bemalt. Die alte Brust
Fett von gesaugter Milch. Das Augenpaar
Das klein und schwarz wird, wenn der blanke Kasten
Zu singen anhebt, gioventù, amore . . .

(2)

Und immer bricht irgendwoher wie aus tiefer Schlucht
Ein Hufgetrappel und berittne Schar
Drängt Dich zum Straßenrand. Goldstarre Quasten
Und seidene Fahnen streifen Dein Gesicht
Und Kuttenmänner mit glühenden Augenschlitzen
Und Priester im Brokat überwandeln Dich schweigend
Und Fackeln flammen auf, ein Liebesglanz
Im dunkeln Flusse. Beifallklatschen weht
Wie Taubenflügelschlag am Felsenhange
Wenn das Gnadenbild Dir erscheint, die schwarze Jungfrau
Aus der Höhle am Berg, die fremde stadtungewohnte
Oder der mit den silbernen Fischen, den sie zum Ufer
Aufs Nachtmeer hinaus und die Boote folgen alle   [tragen
Lang dem lebendigen Licht. Eine Flotte der Sehnsucht.
O Heimat nicht von dieser Welt. Sehr klug
Gelenktes Maskenspiel. Doch fernerher
Und fernerhin, als sie wissen, die Wanderung
Vom Dunkeln ins schrecklich Helle.

(3)

Und es begegnen andre Dir am Abend
Früh aufgebrochene, von Staub bekrustet
Sich selbst nicht mehr und keinem Menschen gleich.
Mit starren Augen, überwältigten

Vom langen Himmel, Blutschorf an den Knien
Weil sie hinstürzten nachts — in welcher Nacht?
Heimkehrend wanken sie durch Straßenspiegel
Mit Narrenmützen und wie Falschgeld klappert
Das Glitzerzeug, der Tand auf ihrem Kleid.
O Glanz am Gipfel der Calvarienberge —
Zuviel des Wegs, zukurz der Seligkeit.

(4)

Und wieder tauchst Du ins Gebirg der Stadt.
Dorthin wo Häuser abendlich beglänzt
Mit Gold und rotem Stein ins Blaue ragen
Wo drunten bei den alten Brunnengöttern
Im Kellerhauch auf der vergessenen Rennbahn
Kauern die Mütter mächtiges Gesäß
Brüste voll Milch und träg gepaarte Schenkel.
Und Kinder unzählbare Brut schattengesichtig
Saugen und wagen die ersten taumelnden Schritte
Rückkehrend zum Schoße, und wühlen sich tiefer ins
                                    Brustfleisch.
Und Kinder tanzen wie Mücken im feurigen Lichtstrahl
Und reiten durch silbrige Schleier auf grauen Delphinen
Und ihnen zu Häupten erhebt sich noch immer riesig
Der alte Granatapfelbaum und wirft in den goldenen Abend
Seinen unzähligen Samen.

(5)

Steig tiefer noch, ins Dunklere hinab
Steh in der Quellenkammer bei den nackten
Karyatiden. Ritze Deinen Namen
Zu andern Namen ihnen auf den Bauch.
Suchst Du nicht Schatten? Hier ists schattenkühl.
Kleinblättrig saftig zittert überm Tuff
Wassergewächs, sprühregenüberronnen.

Bist du nicht müde der vielen funkelnden Sonnen
Und schmeckst den Faulgeruch, den Frischgeruch
Wie alte Labe. Hierher ist noch nie
Der weiße mörderische Gott gedrungen.
Es tropft die Zeit und will nicht mehr von Dir
Als dumpfe älteste Erinnerungen.

Im Schlafe

Hände, die getötet haben,
Wollen nach dem Schatze graben,
Häuser bauen, Bilder weben,
Kinder auf die Kniee heben,
Rühren sich im Schlafe ...

Füße, die in Eis erstarrten,
Suchen nach dem Apfelgarten,
Wandern längs der Flußgestade,
Hügelauf die Rebenpfade,
Weiten Weg im Schlafe ...

Lippen, die Erbarmen schrieen,
Formen sanfte Melodieen,
Flüstern nächtelang geheime
Lebensworte, Liebesreime,
Glühende im Schlafe ...

Augen, die den Tod ermessen,
Wollen Krieg und Not vergessen,
Bild um Bild der Lust beschwören,
Tausendfach der Welt gehören,
Heute Nacht, im Schlafe ...

Tabula rasa

Ein Ende machen. Einen Anfang setzen,
Den unerhörten, der uns schreckt und schwächt.
Noch einmal will das menschliche Geschlecht
Mit Blut und Tränen diese Erde netzen.

Wir sind nicht mehr wir selbst. Wir sind in Scharen.
Wir sind der Bergsturz, der Vulkan, die Macht.
Der ungetüme Wille der Cäsaren
Wirft uns in großen Haufen in die Schlacht.

Was für ein Dämon, der uns ohn Erbarmen
Ergreift und wringt und schleudert hin und her!
Wir häufen Tote, ratlos, wir verarmen
Von Jahr zu Jahr. O rasender Verzehr!

Wir brechen alle Brücken ab, zerstören
Sehr rasch und unbeirrbar, was uns frommt.
Aus allen Dächern Feuer! Wir beschwören
Die Zukunft, die mit der Verzweiflung kommt.

Wir reden ungereimtes Zeug. Wir haften
Nicht mehr am Wahren. Wunderlich vergällt
Ist uns der Schmerz. Noch unsre Leidenschaften
Sind Griffe in die Luft, die nichts enthält.

Und doch, wir leiden. Sprachlos. Aber wer,
Wer schweigt aus uns, und was wird uns verschwiegen?
Wer zählt die Trümmer unsrer Welt — und mehr:
Die Dunkelheiten, die dazwischen liegen?

Wer ist es, raunend in Verborgenheit,
Und wohnt in eines Menschenherzens Enge
Und keltert einen Tropfen Ewigkeit
Im dunklen Wirbel unsrer Untergänge?

Ein Mann der Tat

Der Leib verflucht, gestriemt von tausend Hieben,
Die Seele wieder und wieder zum Tode geschickt.
Jahre im Lager, dreimal im Stacheldraht hängengeblieben
Und einmal den Spürhund mit nackten Händen erstickt.

Gedörrt, geschrumpft und nur noch Haut und Sehne,
Schleim und Blutiges in der Latrine gelassen.
Vernehmungsoffizieren Blut und Zähne
Vor die Füße gespuckt im Namen der hungernden Massen.

Brücken gesprengt mit selbstgebauter Zündung,
Mit Dosenblech an toten Pferden genagt.
Sein drittes Auge war die Pistolenmündung:
Ein Männerjäger und von Männern gejagt.

Die Jahre flogen wie Schatten von Bomberketten,
Und mit den Jahren kam die Rote Armee.
Nun ist er oben: mit goldenen Epauletten,
Sein Schreibtisch steht im Prinzregentenpalais.

Dort herrscht er über sechzehn Ledertüren
Und weiße Telefone, sechsmal eins.
Es gilt, die „Neue Ordnung" einzuführen
Und Durst und Steppe in ein Land des Weins.

Die alte Qual, sie findet tausend Erben,
Und Haß und Hunger drehn sich wie der Wind.
Und viele müssen in den Lagern sterben,
Weil sie jetzt hier: in diesen Grenzen sind.

Er hat die Polizei und ihre Hunde
Und Presse, die für ihn allein rotiert.
Ein wenig Zeit vernarbt an seinem Munde —
Und plötzlich weiß er, daß er Zeit verliert.

Das Jahr steht hoch, die Kühe ruhn und weiden,
Es ist dasselbe Ruhn, dasselbe Jahr.
Auch er ist noch er selbst. Wie soll er scheiden,
Was Anfang, Ende, Oben und Unten war?

Schon sind die Türen nicht mehr dicht geschlossen,
Und in den Telefonen knackt der Tod.
Dann: ein Prozeß um ihn und zwei Genossen,
Und im Gefängnis läßt er Blut und Kot.

Man gibt ihm Drogen ein, damit der blasse,
Verrenkte Mund beliebig viel bereut.
Er weiß, er ist ein Feind der Arbeiterklasse,
Und dämmert vor sich hin und wirkt zerstreut ...

Im Herbstwind flattern alte Wahlplakate
Mit einem Kopf, verblichen und zerplatzt.
Der Regen wäscht den ersten Mann im Staate,
Und seine Augen hat man ausgekratzt.

Ballade nach Shakespeare

Warum wird Hamlet nimmermehr
Bei seiner Liebsten schlafen?
Sie haben ein Bett, und das Bett ist leer,
Das Schiff hat keinen Hafen.

Ophelia hat sich dargebracht,
Und Hamlet war eingeweiht,
Aber die Zeit ihrer Liebesnacht
War nicht in dieser Zeit.

Er ist nicht fern. Er hat seinen Sitz
Eine Sesselhöhe unter ihr.

Aber sein leidender, stäubender Witz
Ist voller Todesbegier.

Sein Geist, sein schrecklicher Mannesmut,
Schlafraubend, Grimm und Entbehren,
Eine Feuersäule, ein brennendes Blut,
Wie wird er die Bühne verheeren!

Dies alles umstellt ihn: Throne und Stufen,
Spiegel und spanische Wände.
Man hört ihn nach Gespenstern rufen,
Nach Schlaf und Tod und Ende.

Stürzt über Terrassen und Balustraden
Und tut seinem Schwerte Bescheid.
Er schleppt sich ab, mit Toten beladen,
Um nichts als Gerechtigkeit.

Du Schwert, das seinen kühnsten Stoß
Gegen die Hydra der Zeugung führt!
Verdorren muß Ophelias Schoß,
Wenn Hamlet ihn nicht berührt.

Und wenn die Liebe sie selig spricht,
Die Welt muß sich entzwein.
Die Welt in Tod und Tod zerbricht,
Manns Tod und Weibes Schrein.

Ophelias Geist, mit Mohn bestreut,
Geht zu den Nixen und Fischen.
Im Wasser treiben Kranz und Kleid,
Salbei und Wermut, Tod und Zeit
In grenzenlosem Vermischen.

Heute noch haben wir Welt vor Augen. Wir haben
Herbst, ein Gären im Blut von verlorner und kommender
Zeit und gelbe Kastanienblätter im Hof.
Alle stimmen darin überein, daß es schön ist, hinauszugehn.
Kinder, vier Jahre alt, kosten für eine Sekunde,
Was sie ein Leben lang suchen werden und niemals
      besitzen:
Herbst und Heimat, die Heimat im Staube, das Wohnen
Dicht an der Rinde der Erde, die vorgeburtliche Landschaft,
Bergland, Marsch oder Geest und schwärzlich
      gesprenkelten Sand,
Kopfsteinpflaster, Wacholder und Birken, eine einsame
      Straße
Quer durch die Heide, eine Magd in schwarzen,
      wollenen Socken,
Die Schürze voll Ziegengeruch . . . Man nennt es im Alter
      die Kindheit.
Spät ist, nach durchregneter Nacht, die Klarheit des
      Morgens,
Süßer Moder, geklärt in der Luft, Oktober, Ariadne
      und Theseus,
Golden, ein Rondo von Mozart, eine goldene Figurine
      in Moll.
Dies ist die Zeit, in der eine Freundin aus einer anderen
Stadt, eine Freundin, deren letzten Brief du nicht
      beantwortet hast,
Sich von einer steinernen Brüstung hinab auf die
      Straße stürzt.
Niemand wird es erfahren, wie der Himmel sich
      damals verfärbte,
Wie alle Fenster sich glasig und frostig verschlossen,
Niemand wird wissen, wie an diesem Sonntag es möglich war,
Daß aus dem goldenen Rondo der Tod erklang.

Der Morgen

Licht, marianisches Licht. Knabenstimmige
Chöre von steigendem Licht: „O LAMM GOTTES
UNSCHULDIG . . ." Licht ohne Gestern, gedächtnislos,
Als wäre nicht Mitternacht und der angeschossene
Wächter gewesen, der in der Garage zusammenbrach.
Liebliches, klares, frohlockendes Frühlicht, du heiliger
Osten, empfangen von tausend östlichen Fenstern,
Die wie mit Freudentränen gereinigte Wangen
Glänzen, und noch der mürrische Mauerbewurf
An den abgelebtesten Häusern erschauert,
Selbst das verstockte Verwaltungsgebäude errötet
Linkisch und steht wie getauft.

Reisende, wenn es im Nachtzug zu dämmern beginnt,
Treten hinaus auf den Gang und schütteln den Schlaf ab,
Schweren, klebrigen Schlaf und leichten Urindunst,
Staub und Tabak und die schmutzige Zeitung von gestern.
Wind entsteht, vorweltlicher Wind, und rosige
Luft, so würzig und kalt wie frisch gefallener
Osterschnee, und welch ein Ausbruch im Herzen
Von unverhoffter Kraft! Wie der entlassene
Wasserdampf aus dem Kessel der Lokomotive,
Heiß, weiß und schreiend am glänzenden Bug der
                                        Maschine —,
Wie der gemeinsame Auftrieb, die Spannung der Muskeln
In einer Rotte von Straßenarbeitern, die stehen
Wach und gedrängt auf der Ladebrücke des Diesels
Vor der geschlossenen Schranke und fühlen den Motor
Zittern und stampfen, dem eigenen Herzschlag zuwider,
Und es wölbt sich der Gaumen in einem leichten
Kaffeerausch. Bald wird der Übungsflieger
Kommen, den Himmel erobern und das Unendliche
Über ihnen mit gasigen Schleifen beschreiben.

Seele, wie leckst du den Tau von der auferstandenen
                Schöpfung:
Blankäugig, nüchtern und schuldlos, wie wenn du
                mit Kindern
Redetest über Tiere und Puppen und ließest
Sie einen Bären malen, ein Haus, einen Wagen.
Aber die Zeitung, wird die gebracht, und du nimmst sie,
Nimmst das Frühstück, die Post, die erste Zigarette,
Nachrichten naschend und weltbegierig und Zeit
Raffend, schon zeigen sich Flecken, schon hast du die
                Ungeduld
Wieder, das Trübe im Blut. Und dann die Geschäfte:
Straßen befahren und Geld ausgeben, Benzin
Verschwenden, Speichel und Schweiß. Verschiedene Stoffe
Nehmen und brauchen. Wege und Umwege,
Auftritte, Mensch gegen Mensch, Gefühl füreinander:
Mitleid, Begehren und rauchlos verwehende Trauer.
Abschiede, die dich entleeren, eine Alte am Obststand,
Die dir Bananen verkauft. Das unersättliche Leben
Dringt und frißt sich hinein in die Welt, und maßlos
Kauft es die Zeit aus, und niemand kann es bezahlen.
Aber sie kauft uns zurück und frißt uns die Jugend
Weg vom Gesicht und bringt unsre Blöße zutage:
Zeitkranke Augen, der Blick überanstrengt, die Züge
Abgequält, tief eingeschnitten, verbraucht
Wie die zuschanden gefahrenen Straßen des Krieges.

Abends erst kennt man die Summe der Schuld. Wie teuer
War uns die Zeit, ein uneröffnetes Schreiben,
Das wir am Morgen empfingen. Ach, und wir haben es
Längst zerrissen, verbrannt, und der Morgen ist
                unwiederbringlich.
Haben an Dingen und Menschen gezehrt und einer
                dem andern

Tränen entpreßt und Lust geraubt, in ein fremdes
Schicksal hineingewühlt, und mit geflüsterten Silben
Unaustilgbares angezettelt, Gesetze gebrochen,
In einem fernen Gebüsch, in einem verrufenen Steinbruch
Ein Unheil, das noch nicht zeitig ist, aufgescheucht.
Hat man nicht mittags ein Weib aus dem Wasser gezogen?
Einst war sie keusch wie der ziehende Mond, dann wollte
Jemand sie haben, und jetzt der Tod, der sie
                                        schamlos macht,
Der ihr den Rock hochzieht und sie läßt es träge geschehen.
Abends gibt es die Liebe, den Rausch und die plötzliche
Herzattacke. Es taumelt einer hinaus,
Whisky im Mund, Zigarettenrauch in den Haaren,
Stellt vor dem Spiegel im Badezimmer sein bleiches,
Schweißiges Antlitz sich selbst entgegen und fragt:
Wo ist das Böse in meinem Gesicht? Wie lautet der
                                        Schuldschein,
Der mein Sein und Leben betrifft? So wird man geboren
Und hat schon unterschrieben. Der Tod ist, sagt man,
Der Sünde Sold. Wenn aber der Tod nicht ausreicht
Und längst verrechnet ist, wer kauft uns frei?

Karsamstag

Es hat der Schmerz seine Krone,
Der Tod hat seine Gewalt.
Das Blut rann aus dem Sohne,
Der unsere Schuld vergalt.

Die unter dem Kreuze lehnen,
Noch quält sie der traurige Wahn.
Erlosch auch das Auge in Tränen,
Es ist noch nicht alles getan.

Schon ahnst du die schauernde Kühle
Des aufgehobenen Steins,
Die jungen, erfrischten Gefühle
Des wiedererweckten Gebeins.

Du merkst, wie ein zartes Beginnen
Im rauchenden Acker sich regt,
Und wie dein Herz sich von innen
Mit göttlichem Hauche beschlägt.

Heut aber ist dein Gewissen
In Leiden und Hoffen geteilt.
Siehe, dein Herz ist zerrissen,
Siehe, dein Herz ist geheilt.

Sei wie die bebende Waage,
Die Gleiches mit Gleichem verhält.
Geh, meine Seele, und trage
Auf beiden Schultern die Welt.

Sei wie die stille, gerechte,
Die wassertragende Magd.
Fühl die gemarterten Nächte
Und fühle die Gnade, die tagt.

In deines Nackens Beschwerde
Füge sich beides in Eins.
So hast du das Gleichmaß der Erde,
So hast du die Summe des Seins.

Seliger Fischzug

Wie ein Fischer, der einen übermäßigen,
Netzzerreißenden Fang durch die Gründe des Meeres zieht,
Also schlepp ich mein Herz, mein kummerbeschwertes,
Diese von tausend lebhaften Schmerzen
Wie von silbernen Fischen bevölkerte Bürde des Herzens,
Mühsam durch die salzigen Fluten der Zeit.

Mühsam und selig. Denn du, Herr, deine erregende
Anwesenheit im schäbigen Gastrecht der Krippe
Wirbelt gewaltig empor, überflutet die Ufer des Schicksals,
Und das Meer deiner Freude, die steigende, schwellende,
Widersinnige Freude ist tiefer als jegliche Trauer:
Bodenlos, tiefer als alles, so tief, daß sogar der
Schlanke, entschlossene Taucher der reinen Verzweiflung
Niemals auf Grund kommt. Auch nicht der andre, sein
                                    rascher Verfolger,
Tollkühn, in der Hitze verzehrenden Mitleids.
Auch der Selbstmörder nicht und die grimmigen Ängste,
Die unsern Brüdern das Herz wie mit wölfischen
                                    Zähnen befallen,
Ängste der Mütter, der Söhne, der Henker und der
                                    Gehenkten.
Nicht der entsetzliche Blutsturz, den wir Geschichte
Nennen. Nicht die Verdammten des Krieges, nicht
                                    die Geblendeten,
Nicht die Gefangenen, denen die Hoffnung vertrocknet.
Nicht die da zittern und schreien nach Recht wie
                                    reißende Saiten,
Die das entfesselte Unrecht tödlich bespielte —,
Keiner der weltzersprengenden Schrecken am Rande
                                    der Seele,
Auch nicht das Letzte, der heisere Wehlaut des Menschen
Über sein steckengebliebenes und wie im Nebel verirrtes
Und für immer vereiteltes Dasein auf Erden: auch
                                    dies nicht.
Denn das Bad deiner Liebe, o Herr, diese kühne Verwandlung
Einer Woge von Leiden ins Weltmeer deines Erbarmens,
Steht uns schon fast bis ans Kinn, dicht unter dem
                                    singenden Munde,
Und das im Finstern schwankende Licht deiner Ankunft
Leuchtet uns zahllos vermehrt, in hundertmaliger Brechung,
Da wir es durch die Kristalle der süßesten Tränen erblicken.

Ende September

An Apfelbäumen lehnen weiße Leitern,
Die man im Abendnebel stehen ließ.
Nun will die Welt sich himmelhoch erheitern:
Mein Honighimmel, blau und goldnes Vließ!

Mit einer Schleppe brombeerdunkler Erinnerungen
Tritt ein verklärter Morgen in mich ein.
Der Sommer ist vergoren und verrungen
In Apfelduft, Nußbeize, Most und Wein.

Zeit für ein Mädchen, Platz für Kommen und Bleiben.
Wie brennt der Boden, wo kein Mädchen ist!
Zusammensein und Zueinandertreiben
Schräg übern Weg mit Lächeln und Gelüst.

Blutbuchenlaub, lachsfarbner, zarter Schein.
Wir wollen Blick zu Blick und Mund zu Munde,
Und alles Sein will bei dem andern sein
Und richtet am Geliebten sich zugrunde.

Ein paradiesisch holdes Ungefähr
Hält uns mit Lust und Traurigkeit umfangen.
Vollkommner Sommer, doch kein Sommer mehr
Und schon im Unsichtbaren aufgegangen.

Der Mensch

Gehetzt von Grenze zu Grenze,
die dünnen Lippen verkrampft,
zerrissen von plötzlichen Feuern,
unter den Trümmern zerstampft.

O holdestes Geschöpf: Traum deiner Mutter, Du,
Insel, darauf sie lebt in den Gewässern
der Zeit, Du, Fleisch ihrer Seele.
Wie griff sie, süß und horchend,
in ihr gewölbtes Seidenkleid.

Stumpfes Vieh in den Transporten:
die Nummer eingebrannt,
das Schädeldach zerspalten,
Ödem an Knie und Hand.

Erlöser der Liebe, dich hob die zärtlichste Kraft
mitten ins Licht: wehte der Wäsche Lavendelgeruch,
im Fenster die Wolken, die ernsten
Bäume, schwirrten dir Schwalben nicht
köstlich entgegen?

Blut im Kot und in den Blicken,
leckt er seinen Suppentopf.
Böse hocken grüne Fliegen
über seinem blöden Kopf.

Im Leben

Ich weiß, dies Hemd und grobe Tuch
Sind mir nur ausgeliehn,
Und was ich je am Leibe trug. —
Ich nehm es dankbar hin.

Die Tulpe, die im Garten wcht
Und prahlt mit rotem Fleisch,
Ist mir geschenkt. — Was wohlgerät,
Was aufschreckt mit Gekreisch:

Fasan und böser Schrei vom Pfau,
Ich kann nichts dazu tun.
Ich ahn das stille Bild der Frau
Und muß alleine ruhn.

Ich eß vom Fleische, brech vom Brot,
Misch goldnen Wein im Krug. —
So mischen Leben sich und Tod!
Ist das nicht Trost genug?

Im Spiegel ist zum andern Mal
Das Zimmer anzusehn,
Die Vase, rund, der Leuchter schmal.
Wie soll ich sie verstehn?

Des Nachts fahr ich mit fremder Hand
Mir zögernd durchs Gesicht.
Und hab ich mich im Licht erkannt,
Im Dunkel bin ichs nicht.

Ich finde Mond und Stern bei Stern
Und suche nach dem Sinn
Und spüre nur noch ganz von fern,
Daß ich im Leben bin.

Pappellaub

Sommer hat mit leichter Hand
Laub der Pappel angenäht.
Unsichtbarer Schauder ist
Windlos auf die Haut gesät.

Zuckt wie Schatten Vogelbalg,
Spötterbrust, als winzger Strich:
Ach, schon wird es Überfall,
Wie sie blätterhin entwich!

Luft, die unterm weichen Flug
Kurzer Schwinge sich gerührt,
Schlägt wie blaue Geißel zu,
Die die dumpfe Stille führt.

Grüne Welle flüstert auf.
Silbermund noch lange spricht,
Sagt mir leicht die Welt ins Ohr,
Hingerauscht als Ungewicht.

Mahlzeit unter Bäumen

Sitzen im gefleckten Schatten.
Luft kommt lau wie Milch gestrichen.
Kreis hat zaubrisch sich gezogen,
Und die Hitze ist gewichen.

Sicheln, die wie Nattern zischten,
Klirrten am erschrocknen Steine.
Grüne Glut drang aus der Wiese.
Distel biß am bloßen Beine.

Durch die Feuer der Kamille
Flohen wir auf blanker Sohle,
Heuumwirbelt, in die Kühle
Von Lavendel und Viole.

Stille summt im Käferflügel.
Ruhn, vom Ahorn schwarz umgittert.
Auge schmerzt vom Staub der Kräuter,
Der im lauten Lichte zittert.

Und wir schneiden Brot und Käse.
Weißer Wein läuft uns am Kinne.
Des gelösten Geists der Pflaume
Werden wir im Fleische inne.

Hände wandern überm Korbe.
Fester Mund, er ward verhießen.
Weiche Glieder, braungeschaffen,
Im bewegten Laube fließen.

Der Nächtliche

Zwischen meinen wilden Haaren
Hängt das Licht.
Schlafwind ist hindurchgefahren,
Mondtier lauerte im Klaren,
Stürzte sich ins Angesicht.

Ist mir übern Rock gekrochen
Kalt ins Tuch,
Hat nach Mähdesüß gerochen,
Trocknem Quendel, den seit Wochen
Überall die Wiese trug.

Hab im Ohr die feinen Stimmen
Aus dem Laub.
Seh im Fluß die Ratte schwimmen
Und das Schilficht rötlich glimmen
Unterm feuchten Sternenstaub.

Mir im Nacken Wolken fliegen.
Und ich fühl
Sich im Napf die Eichel biegen,
Aron seine Früchte wiegen,
Von der Nacht geschwärzt und kühl.

Spür die Leimkrautblüte offen.
Ungehemmt
Hat ihr Atem mich getroffen,
Mischt sich mit den dunklen Stoffen
Um mich her und wird mir fremd.

Will mit krummen Fingern schreiben
In die Luft.
Mit der Erdenkälte treiben.
Und es soll von mir nichts bleiben
Als ein kurzer Windhalmduft.

Selbstbildnis mit der Rumflasche

Trügerisches Bild aus diesen Jahren,
Antlitz, das sich durch die Flasche dehnt
Und ertrinkt im tiefen, wunderbaren
Geisterwasser! Das mit Aschenhaaren,
Schwarzen Zähnen nach dem Mond sich sehnt,
An die Nacht gelehnt!

Ach, ich bin es; und ich schlucke Feuer,
Das mir duftend meinen Gaumen sengt:
Augen, blauumrändert, nicht geheuer,
Und das Kinn umschattet schon ein neuer
Stoppelbart, in dem der Staub sich fängt,
Gelber Zucker hängt.

Und ich zieh den Atem ein und kaue
Ruhelos im Mund den süßen Rum.
Was ich sann, verwuchs mit meiner Braue.

Und das Nichts — behaarte Teufelsklaue —
Spür ich, biegt mir meinen Nacken um,
Zwängt den Rücken krumm.

Trügerisches Bild! Die dunkle Flasche
Fährt als seliges Schiff mir scheitelhin,
Wächst mir aus der Hand, schlüpft durch die Masche
Meines Traums, drin ich gefangen bin.
Und sie streift den fernen Tropenhimmel,
Negerlippen und Jamaika,
Löst sich auf im sphärischen Gewimmel
Mir zu Häupten und dem Jenseits nah.

Lied, um sein Vaterland zu vergessen

Die zwischen Zähne Messer tun,
Soldaten, früh gehenkt,
Mit Augen, die in Höhlen ruhn,
Ins Jochbein eingesenkt,
Durchschossnen Schultern, Wunden schwarz
Von Nacht und von Gestank:
Durchsichtig werden sie wie Quarz
Und hell mir im Gesang.

Und deren Haut ein Milbennest,
Die Krätze überzog,
Stirnen im Dämmer von Asbest,
Um die das Feuer flog,
Fraun rasch verzehrt von Syphilis,
Von Schmutz und Fusel krank,
Gespenster meiner Finsternis
Gehn ein in den Gesang.

Die Straßen, halb vom Brand verkohlt,
Im weißen Schimmellicht,
Die bald der Totenwind sich holt,

Wie mürbes Holz zerbricht,
Der Wasserlöcher Silberspur,
Aus denen Schweigen trank:
Die Typhustümpel steigen nur
Noch höher beim Gesang.

In Spuk und Schwärze — Schattenland
Der Banden, schwer von Mord —
Vernehm ich ,,Deutschland". Unverwandt
Raunt's alte, herbe Wort,
Das tote Wort, das sich entringt
Der Kehle, fieberkrank.
Mit süßen Jenseitsstimmen dringt
Es ein in den Gesang.

Und lautlos fliehn gespensterschnell
Die Stimmen durch den Grund.
Gewehre knistern auf, und hell
Springt's Blut aus Ohr und Mund . . . —
Ophelia winkt, am Schädeljoch
Den Einschuß, geisterbang,
Zieht mich zu sich ins Wasserloch
Und endet den Gesang.

Lied, um sich seiner Toten zu erinnern

Gesichter wie zerquetschte Beeren,
Die man aus einer Schüssel fischt:
Ich schau euch hinter den Gardinen
Der Tage, die der Gram verwischt!

Ihr nähert euch, von den Harpunen
Des Totensommers noch durchbohrt,
Von Kränzen schwarzer Alphabete
Wie schönen Wolken dicht umflort.

Begraben vom Emaillehimmel
Des raschen Sterbens lebt ihr nun
Und schüttet aus der Wasserflasche
Euch Heiterkeit auf euer Ruhn.

Das Leid zerschmilzt euch sanft im Nacken.
Die Silbenrätsel sind gelöst
Der Worte, ihre tiefen Schatten:
Angst, die die Nacht euch eingeflößt.

Erinn'rung, wie ein Ei zerflossen,
Quält euch nicht mehr, die ihr mich grüßt.
Ihr habt die Läufe der Gewehre
Vergessen schon, die ihr durchsüßt

Von Träumen, eurem Ebenbilde
Und einem andern Leben seid.
Ihr braucht die Hände aus den Taschen
Nicht mehr zu ziehen, schlagbereit.

Das Gas, das euch im Halse würgte,
Entwich schon längst mit leisem Schrei,
Und die vom Schmerz zerfransten Schläfen
Sind leicht und von Geschossen frei.

Stichflamme eures Tods verwehte.
Gesponnen ist die Luft, die trägt
Mir euer Flüstern her wie Knistern
Von Sternen, die das All bewegt.

Die Schiffe

Mit dem Pesthauch, den Gasen
Von Tang und faulendem Hai,
Fahren sie lautlos. Es blasen
Mondwärts die Winde vorbei,
Werfen hinab zu den Fischen
Regen wie Speichel dazwischen.

In die löschenden Lichter
Fällt wie Gelächter die Nacht,
Regnet der Regen dichter,
Duftet das Süßholz der Fracht,
Schwebt über Planken, die schwitzen,
Quälender Dunst der Lakritzen.

Hunde heulen, und Schritte
Kommen im Finstern gescharrt,
Nehmen in ihre Mitte
Angst, die sie froschfingrig narrt.
Und zwischen Balken und Taue
Krümmt sich die höllische Klaue.

Seufzer schallen von oben
Hinter den Schiffen her,
Klagen, dem Nichts verwoben,
Und von Gesichten schwer,
Während die Kiele schon streichen
Hin zu den andern Bereichen.

Verlassene Küste

Segelschiffe und Gelächter,
Das wie Gold im Barte steht,
Sind vergangen wie ein schlechter
Atem, der vom Munde geht,

Wie ein Schatten auf der Mauer,
Der den Kalk zu Staub zerfrißt.
Unauflöslich bleibt die Trauer,
Die aus schwarzem Honig ist,

Duftend in das Licht gehangen,
Feucht wie frischer Vogelkot
Und den heißen Ziegelwangen
Auferlegt als leichter Tod.

Kartenschlagende Matrosen
Sind in ihrem Fleisch allein.
Tabak rieselt durch die losen
Augenlider in sie ein.

Ihre Messer, die sie warfen
Nach dem blauen Vorhang Nacht,
Wurden schartig in dem scharfen
Wind der Ewigkeit, der wacht.

Hand vorm Gesicht ...

Hand vorm Gesicht! Sie hält
Kurz nur das Sterben ab.
Grube im Nacken fällt,
Beere am Aronstab.

Rose am leichten Stock
Wird unterm Finger Staub.
Leuchtendes Kirschgeflock
Ist schon des Windes Raub.

Ratloser Mund! Er schweigt,
Ins Schwinden still gedehnt,
Wenn sich mein Schatten zeigt,
Süß an die Luft gelehnt.

Wenn träg die Pappel samt,
Löwenzahnlampe lischt,
Vieles bleibt unbenamt,
Wie sichs in Trauer mischt.

Wie es sich ungenau
Hin zum Vergehen drängt,
Faltermann, Falterfrau
Mutlos im Lichte schwenkt.

Über mir weiß ich schon
Stimmen aus schwarzem Schall,
Laubhaft gehauchten Ton,
Und spür den Stirnverfall.

Rückwärts mit leisem Schrei
Stürz ich ins Leere hin,
Hart hinterm Tod vorbei.
Fühl, daß ichs nicht mehr bin.

Liebesgedicht

Auf der linken oder rechten Seite liegen gilt gleich,
Eine Melone zerschneiden oder das Wasser im Glas
Leuchten lassen. Die Anmut der Kerze
Dahinter: belanglos wie schwebende Luft
In der Nacht ohne dich.

Als Nachmittag war, ließ vor dem Fenster der Pfau sich
Wie ein schattiger Blumenstrauß nieder.
Du hieltest in der 6-Uhr-Sonne deinen Löffel
Über einen Teller durchscheinender Himbeeren.
Nun dulde das Dunkel ich,
Diese Nacht, die du nicht gemacht hast,
Mit zäher, schwarzer Tusche ausgezogen,
Mit dem Geschmack von Tränen im Mund
Und scharfem Wind in den Blumen.

Hinter dem von Schwärze rissigen Ziegel
Wird die Zikade still, und ich habe
Das Aroma der Einsamkeit zu schmecken bekommen
                                        am Tisch
Zwischen Schweigen und Schweigen
In der Nacht ohne dich.

Auf der linken oder rechten Seite liegen gilt gleich
In der Umarmung der Stille, wenn die Armbanduhr leicht
Die Zeit zählt, das Mundstück der Zigarette verascht . . .
Mit dem Finger durchstreich ich das Jenseits,
In dem ich noch eben gelebt,
Ohne rotes Halstuch und braune Schuhe,
In der Nacht ohne dich:

Ich hör unter Sternen dich atmen!

Die Hand voller Stunden, so kamst du zu mir — ich sprach:
    Dein Haar ist nicht braun.
So hobst du es leicht auf die Waage des Leids, da war es
    schwerer als ich . . .

Sie kommen auf Schiffen zu dir und laden es auf, sie bieten
    es feil auf den Märkten der Lust —
Du lächelst zu mir aus der Tiefe, ich weine zu dir aus der
    Schale, die leicht bleibt.
Ich weine: Dein Haar ist nicht braun, sie bieten das Wasser
    der See, und du gibst ihnen Locken . . .
Du flüsterst: Sie füllen die Welt schon mit mir, und ich
    bleib dir ein Hohlweg im Herzen!
Du sagst: Leg das Blattwerk der Jahre zu dir — es ist Zeit,
    daß du kommst und mich küssest!

Das Blattwerk der Jahre ist braun, dein Haar ist es nicht.

Ein Knirschen von eisernen Schuhn ist im Kirschbaum.
Aus Helmen schäumt dir der Sommer. Der schwärzliche
    Kuckuck
malt mit demantenem Sporn sein Bild an die Tore des
    Himmels.

Barhaupt ragt aus dem Blattwerk der Reiter.
Im Schild trägt er dämmernd dein Lächeln,
genagelt ans stählerne Schweißtuch des Feindes.
Es ward ihm verheißen der Garten der Träumer,
und Speere hält er bereit, daß die Rose sich ranke . . .

Unbeschuht aber kommt durch die Luft, der am meisten
    dir gleichet:
eiserne Schuhe geschnallt an die schmächtigen Hände,
verschläft er die Schlacht und den Sommer. Die Kirsche
    blutet für ihn.

Vom Blau, das noch sein Auge sucht, trink ich als erster.
Aus deiner Fußspur trink ich und ich seh:
du rollst mir durch die Finger, Perle, und du wächst!
Du wächst wie alle, die vergessen sind.
Du rollst: das schwarze Hagelkorn der Schwermut
fällt in ein Tuch, ganz weiß vom Abschiedwinken.

Zähle die Mandeln,
zähle, was bitter war und dich wachhielt,
zähl mich dazu:

Ich suchte dein Aug, als du's aufschlugst und niemand
    dich ansah,
ich spann jenen heimlichen Faden,
an dem der Tau, den du dachtest,
hinunterglitt zu den Krügen,
die ein Spruch, der zu niemandes Herz fand, behütet.

Dort erst tratest du ganz in den Namen, der dein ist,
schrittest du sicheren Fußes zu dir,
schwangen die Hämmer frei im Glockenstuhl deines
    Schweigens,
stieß das Erlauschte zu dir,
legte das Tote den Arm auch um dich,
und ihr ginget selbdritt durch den Abend.

Mache mich bitter.
Zähle mich zu den Mandeln.

Im Mittagslicht

Ein Rosenkäfer findet durch den Duft die Furt.
Ein Mauersegler ritzt mit Flügeln dunkles Blau.
Ein Mädchen liest in einem Buch
Die Linien ohne Furcht.

Am Halm umgrenzt sich ein Kristall.
In fernen Nebeln sirrt ein Silberstern.
Durch Adern zuckt es brennend rot:
Es ist. Ich bin.

Es wandern Masten, schwarz, in Reihn durchs Land.
Ein Flugzeug schwimmt am Wolkenrand.
Hornisse tobt, sekundenschnell, im Sand — im Kreis,
Das Licht, der Tag ist hell, ist heiß.

Ein bleicher Troß, heimwärts

Zigeunerhunde waren
Ihnen zugesellt,
Anruf von Janitscharen,
Ein Schuß, der tief im Dämmern fällt,
Ein Mädchen, das im Schreiten
Die Last der Körbe wiegt —
Über die weiten, weiten
Felder der Kranich fliegt.

Über die weiten, weiten
Wiesen ein Kranich schreit.
Pferdewiehern, reiten,
Halme im Kleid,
Mit ungarischen Bauern
Über Mais, über Rohr,
Und immer im Mund den sauern
Wein und den flirrenden Ton im Ohr.

Widerspiele

Der Lattich blüht am Zaun.
Der weite Platz ist griebenbraun.
Er schwelt den Winter aus.

Der Lattich war mein Haus,
Das Latticheck.
Wir spielten dort zu zweit Versteck

Im März. Die Sonne schien
Gelbglänzend, aber faul.
Der Fuhrmann schlug den Karrengaul.

Der zog den Müll, den Schutt.
Nach Staub rochs und Palmin,
Und ihre Puppe warf ich ihr kaputt.

Der lag besonders mühelos am Rand
Des Weges. Seine Wimpern hingen
Schwer und zufrieden in die Augenschatten.
Man hätte meinen können, daß er schliefe.

Aber sein Rücken war (wir trugen ihn,
Den Schweren, etwas abseits, denn er störte sehr
Kolonnen, die sich drängten) dieser Rücken
War nur ein roter Lappen, weiter nichts.

Und seine Hand (wir konnten dann den Witz
Nicht oft erzählen, beide haben wir
Ihn schnell vergessen) hatte, wie ein Schwert,
Den hartgefrorenen Pferdemist gefaßt,

Den Apfel, gelb und starr,
Als wär es Erde oder auch ein Arm
Oder ein Kreuz, ein Gott: ich weiß nicht was.
Wir trugen ihn da weg und in den Schnee.

Die Furt

Schlinggewächs legt sich um Wade und Knie,
dort ist die seichteste Stelle.
Wolken im Wasser, wie nahe sind sie!
Zögernder lispelt die Welle.

Waten und spähen — die Strömung bespült
höher hinauf mir die Schenkel.
Nie hab ich so meinen Herzschlag gefühlt.
Sirrendes Mückengeplänkel.

Kaulquappenrudel zerstieben erschreckt,
Grundgeröll unter den Zehen.
Wie hier die Luft nach Verwesendem schmeckt!
Flutlichter kommen und gehen.

Endlose Furt, durch die Fährnis gelegt —
werd ich das Ufer gewinnen?
Strauchelnd und zaudernd, vom Springfisch erregt,
such ich der Angst zu entrinnen.

Lauingen an der Donau

Über die Brücke holpert
ein Ochsenfuhrwerk, wohin?
Ich weiß nur, daß ich am Wasser
der Ewigkeit näher bin.

Der Angler auf den Steinen,
er wird mich nicht verstehn
und im Laub der Uferkastanien
die himmlischen Zeichen nicht sehn.

Vorüberziehende Herde. —
Nun bin ich mit mir allein.
Morgen vielleicht schon werde
ich wie das Wasser sein.

Stiller Mann

In der Vogelklause schwimmt der
Rauch aus karger Dämmerung,
auf dem Tisch die Wasserflasche
und die Schalen der Orange,
und aus dünnem Ziegenleder
ist der Beutel für den Tabak.
Grüner Halter, stumpfe Feder,
ach, das Bündel Briefe gilbt schon,
und im Bauch des Tintenfasses
schwillt der Staub. Die Zeit ist träge.

Stiller Mann, — im Fensterrahmen
hängt das Bild der Dächerlandschaft:
wie genau die flachen Furchen
in die schräge, brandigrote
Ziegelflur gegraben sind.
Über den Kaminen weitet
sich der Raum des Ungedachten
in den Himmel milder Langmut.
Schwalbenspur, des Herbstes Fährte . . .
Und der Mann kaut still Orangen,
spuckt die Kerne aus dem Fenster.

Tief in seinem Blick der Cañon
einer Straße, mattes Zwielicht.
Und ein Mädchen winkt und geht dann
unter seinem bleichen Strohhut
aus der Welt des Mannes fort. —
Im Gespinst der Leitungsdrähte
webt sein schwächlich-scheues Trauern,
webt die Worte „Südfruchthandlung",
„Angebot" und „Leeres Zimmer"
in das Netz des Herzens ein.

Stiller Mann, dem Ungeklärten
zugesprochen, ohne Argwohn
jetzt im Schaukelstuhl und satt.
Vogelschwirrn zerstäubt im Leeren,
hoch am Horizont des Tages
gilbt der Abend langsam aus.

Romanze vom Abschied

Okarina des Abschieds
bläst mir der heitere Herbst,
Farben von Safran und getrocknetem Blut —

ach, mit dem Rauch der Kartoffelfeuer
zieht die chimärische Dauer
hinter die Steigung des Hangs.

Was mir geliehen wurde:
wechselndes Licht an den Wänden,
Verständnis für manche Vergeblichkeit,
ein tiefer gespürter Schimmer des Laubs —
dem Unerfahrbaren geb ichs zurück.

NACHWORT

Wer es heute unternimmt, eine Anthologie der deutschen Lyrik der letzten fünfzig Jahre herauszugeben, kann nicht mehr den Anspruch erheben, eine revolutionäre Situation sichtbar zu machen. All das Neue, Kühne, das Unerhörte und hinreißend Skandalöse, was vor mehr als dreißig Jahren, auf dem Höhepunkt der expressionistischen Bewegung, in der berühmten Sammlung „Menschheitsdämmerung" von Kurt Pinthus präsentiert wurde, ist längst historischer Besitz geworden oder aber einer legitimen Vergessenheit anheimgefallen. Der Herausgeber von heute hat keinen Grund, als Verhänger neuer Tafeln aufzutreten und den aktuellen geschichtlichen Moment allzu heftig zu betonen. Denn das künstlerische und politische Pathos, die leidenschaftliche Aufbruchstimmung von 1920 hat sich nach 1945 nicht wiederholt. Kaum jemand wird sich heute noch einbilden, durch künstlerischen und politischen Radikalismus der Welt ein gänzlich neues Gesicht geben zu können. Wo schöpferische Kräfte sind, da bewegen sie sich immer noch auf dem vor einem Menschenalter eroberten Gelände, nicht nur im Reiche der Dichtung, sondern auch in allen anderen Künsten. Ein umstürzlerischer Impuls würde heute, so scheint es, durchaus keine „Stunde" haben, denn die Revolution aller künstlerischen Ausdrucksformen, die um 1900 in der Luft lag, ist von der Generation unserer Väter gemacht worden, und es würde den Gesetzen einer geschichtlichen Rhythmik widersprechen, wenn nicht alle Kräfte noch damit beschäftigt wären, die Errungenschaften der revolutionären Epoche zu verarbeiten, zu erweitern, zu korrigieren und zu modifizieren. Wir befinden uns heute, wie im Politischen und Sozialen, so im Künstlerischen, offenbar in einer nachrevolutionären Situation.

Damit ist, so glauben die Herausgeber der vorliegenden Anthologie, der Augenblick gekommen, die Entwicklung der deutschen

Lyrik in der ersten Hälfte des 20. Jahrhunderts in einer sorgfältigen, um Sachlichkeit und Gerechtigkeit bemühten Auswahl darzustellen und den Ertrag einer sehr reichen und vielstimmigen Epoche unserer Dichtung nach den Maßstäben eines besonnenen, in aktueller Programmatik nicht befangenen Urteils zu revidieren. Selbstverständlich ist jedes Urteil standortgebunden, durch entschiedene Zeitgenossenschaft beeinflußt, den besonderen Interessen des geschichtlichen Augenblicks verpflichtet. Jede Entscheidung eines lebendigen Wertgefühls hat ihre eigene Fehlbarkeit in Rechnung zu stellen, muß eigene Voreingenommenheiten aus persönlicher und zeitgeistbedingter Sympathie und Unzuständigkeiten gegenüber augenblicklich verdunkelten Werten in Kauf nehmen. Die Herausgeber wissen, daß alles Urteilen und Genießen unter dem magischen Gesetz des *Similia similibus* steht: wo nicht geliebt wird, da wird auch nichts gesehen. Ihr Urteil bewegt sich im Geltungsbereich eines gemeinsamen Qualitätsbegriffs, der sich in jahrelanger freundschaftlicher Auseinandersetzung verfestigt und immer wieder bestätigt hat.

Darzustellen war eine respektable Epoche deutscher Poesie: als künstlerischer Ausdruck eines halben Jahrhunderts tumultuarischer und krisenhafter Welt- und Seelengeschichte, gleichzeitig aber auch als ein bedeutender und revolutionärer Abschnitt sprachgeschichtlicher Entwicklung, durch die hervorgebracht wurde, was uns als die lyrische Mundart des 20. Jahrhunderts ein unvergleichlich intimer Besitz geworden ist. Zweifellos ist schon in den neunziger Jahren etwas Neues da, eine entscheidende sprachliche Initiative, durch die nicht nur die epigonale Goldschnittlyrik des bürgerlichen Salons erledigt, sondern auch die letzten großen Verwalter des klassisch-romantischen Spracherbes (wie Mörike, Hebbel, Keller) der Vergangenheit überantwortet werden. Nicht eigentlich bei den Lyrikern des Naturalismus, so schien es den Herausgebern, ist dieser neue Ton zu vernehmen, denn was bei ihnen „modern" erscheint, ist weniger der sprachliche Ansatz als vielmehr die Gesinnung und das stoffliche Interesse. Das entscheidend Neue und in die Zukunft Wirkende scheint erst durch Hofmannsthal und George in die Welt getreten zu sein: ein epochemachendes Ethos der Form und eine eigenständige Thematik. Durch sie und ihre Generation wird ein neues Verhältnis zur Welt und zur Sprache manifestiert, das erst diesseits der großen geistes- und sprachgeschichtlichen Wasserscheide, die durch den Namen Nietzsche bezeichnet wird, erlebt werden konnte, damit aber gleichzeitig auch ein neues Verhältnis zur deutschen Klassik und Romantik. Das in den Händen drittrangiger Epigonen verluderte Erbe unserer Blütezeit wird mit frischen Energien zurückerobert und in Gegenwart und Zukunft verwandelt: was George aus Paris mitbrachte, verband sich mit den Substanzen der deutschen und europäischen Überlieferung; in Hofmannsthals Pathos der Modernität („modern sind alte Möbel und junge Nervositäten") regte sich eine ganz ursprüngliche Leidenschaft für Tradition, die im Laufe der Zeit nicht nur ein neues, faszinierend unbürgerliches Goethebild beschworen, sondern auch viele andere Bereiche der europäischen Vergangenheit wie mit Zaubersprüchen erschlossen hat. Die revolutionäre Leistung dieser Generation: in unserer Perspektive besteht sie vor allem in einem Akt schöpferischer Re-Integration aus eigener Ursprünglichkeit. Hofmannsthal und George, Borchardt und Schröder stehen daher in dieser Anthologie am Anfang einer Reihe von wesentlich traditionsgebundenen Lyrikern, der man auch den Österreicher Josef Weinheber noch zuordnen kann, denn die besten Kräfte dieses Mannes sind dort zur Geltung gekommen, wo er ein überliefertes Formgut mit der Leidenschaft eines modernen Sprachgeistes zum Leben erweckt und mit der Motivik des eigenen tragischen Schicksals erfüllt hat.

Die zweite Abteilung vereinigt eine Fünfzahl von bedeutenden Einzelgängern, die keiner literarischen Gruppenbewegung zugerechnet werden können und auch untereinander radikal verschieden sind. Das Gemeinsame zwischen ihnen besteht allein darin, daß jeder von ihnen zur Vorbereitung der expressionistischen Kulmination das Seinige beigetragen, andererseits aber, über sie hinausweisend, bestimmte Möglichkeiten der nachexpressionistischen Entwicklung eröffnet hat, und daß sie alle — bis auf einen — von der Um- und Nachwelt nicht eigentlich verarbeitet worden sind und ihre Werke noch immer wie erratische Blöcke im Felde liegen. Der gespenstische Parodist des transzendentalen Idealismus, Otto zur Linde, steht neben den beiden „Kosmikern" Däubler und Mombert; Rilke, der seraphische Sänger des „Weltinnenraums", trifft zusammen mit der dunkel-kühnen Christlichkeit eines Konrad Weiß, der als ein „gottverworrner Mund aus deutschem Samen", hier geradezu als Gegenspieler zu der genialen Ketzerei des modernen Orphikers erscheinen kann.

Die dritte und mittlere Gruppe umfaßt alle diejenigen Dichter, welche die expressionistische Bewegung zum Siege geführt und die neuen Erfahrungen aus dem Umkreis des ersten Weltkrieges lyrisch bewältigt haben: das Thema der Großstadt und der kriegerischen Katastrophe, das soziale und politische Pathos, die schwindelerregenden Bewußtseinsschocks einer von Spätlingsschauern heimgesuchten Gesellschaft, die Agonien einer zu Bruch gehenden Zivilisation, die brennenden, in den Elementarfarben der „Brücke" und des „Blauen Reiters" glühenden Visionen des schöpferischen Ichs. Vieles von dem, was um 1920 für bare Münze gehalten wurde, ist inzwischen durch die Zeit entwertet worden. Alles hektische und exaltierte Getue und bramarbasierende Revoluzzertum, auch gewisse pathetische Schaumschlägereien und sprachliche Fehlleistungen mußten in einer heutigen Anthologie unterdrückt werden. Um so klarer tritt nun die wesentliche Leistung der expressionistischen Generation hervor: die großartige und folgenreiche Initiative der Trakl und Heym, die kühnen und inbrünstigen Wagnisse der Else Lasker-Schüler, neben denen die Stimme eines Werfel für das heutige Ohr merkwürdig schwächlich klingt, schließlich die starken und originalen Muster der Brecht und Benn, die beide bis heute gegenwärtig und wegweisend geblieben sind, obwohl nur der letztere so etwas wie Tradition gebildet und Schule gemacht hat.

Der vierte Teil, eine Art Zwischenspiel in leichterer, aber nicht weniger geistbestimmter Tonart, bringt eine Gruppe von Autoren zu Gehör, denen es gegeben ist, mit den Mitteln der Satire, der Ironie oder des drastischen Humors bestimmte Aspekte der modernen Wirklichkeit zu enthüllen, die anderswo verborgen bleiben. Hier findet das tiefsinnige Scherzando und die sprachschöpferische Alchemie eines Christian Morgenstern einen Platz, ebenso die burlesken und schmerzlich-witzigen Brettltöne der Wedekind, Klabund und Ringelnatz und die grimmigen Karikaturen des jungen Erich Kästner; aber auch die sinnenkräftige Daseinsfreude und Kamaraderie eines Zuckmayer und der graziös-ernsthafte Secco-Stil eines Peter Gan gehören in dieses Feld. Spielerische, frivole und beißend gesellschaftskritische Stimmen kommen hier zur Geltung, dem Alltag wird sein Recht gegeben, dem Trivialen und Lächerlichen wird Aufmerksamkeit geschenkt, aber auch diesen Autoren geht es dabei immer um das Ganze von Leben und Tod, Himmel und Hölle, und oft genug muß man von einem humoristischen Wortspieler überraschende Lektionen über das Verhängnis des Menschseins entgegennehmen, die erregender sind als die großen Gesten des pathetischen Stils.

Die fünfte und umfangreichste Abteilung unserer Sammlung demonstriert die Entwicklung in der Epoche des zweiten Weltkrieges samt Vor- und Nachkriegszeit und versucht einen charakteristischen Eindruck zu geben von dem Kräftespiel der unmittelbaren Gegenwart, wobei alle diejenigen Autoren weggelassen wurden, die schon in anderen Zusammenhängen einen Platz fanden. Hier mit Oskar Loerke zu beginnen, schien insofern angebracht zu sein, als dieser einsame und eigenwillige

Experimentator und Eroberer neuer Provinzen des Ausdrucks durch seinen starken Einfluß auf Wilhelm Lehmann gewissermaßen einen Übergang darstellt von den glühenden Sprachzentren des Hochexpressionismus zu den Wortwelten der modernen Naturlyrik, die das Bild heute so weitgehend bestimmen. Das Ausdrucksfeld der heutigen deutschen Lyrik ist von starken und fruchtbaren Spannungen beherrscht: Natur und Geschichte, Pastorale und Elegie, bukolische und metaphysische Poesie, so heißen die Gegensätze. Den Dichtern des Dorfteichs treten die Dichter der City und der Zeitgeschichte ergänzend und widersprechend entgegen. Daß die letzteren sich auf bedeutende Vorbilder aus der vergangenen Generation berufen können, liegt auf der Hand, aber jene neue, aus romantischen Überlieferungen gespeiste, merkwürdig radikale Poesie der Landschaft und des elementaren Lebens, wie ist sie zu erklären? Hier scheint eine Analogie zur Schäferdichtung des 16., 17., 18. Jahrhunderts zu bestehen: wie diese sich gegen die heroische und hochzeremoniöse Welt des großen barocken Stils als eine unerläßliche Neben- und Gegenstimme erhob, so präsentiert sich heute der Naturlyriker als der notwendige Gegenspieler des Dichters der Zeit und des geschichtlichen Bewußtseins. Um neue Sach- und Wortwelten höchst erfolgreich bemüht, die Gefahr des ,,Eskapismus", das heißt der Flucht aus der Zeit in eine zeitverlorene Idylle, nicht immer vermeidend, haben diese modernen Schäfer ihre sinnvolle Funktion darin, natürliche Widerstandsordnungen zu behaupten gegen die aufreibenden Tendenzen des geschichtlichen Prozesses und den von kulturpessimistischen Schwindelanfällen bedrohten Geist des Menschen an die zeitlosen Mächte des Seins zu erinnern.

In der sprachlichen Gesamtleistung der Lyrik der Gegenwart sind viele ältere und jüngere Traditionen zu einem neuen und eigentümlichen Ganzen integriert worden. Die Errungenschaften des Hochexpressionismus sind überall noch lebendig, die fortzeugende Meisterschaft verschiedener Initiatoren der älteren

Generation wie Rilke, Benn, Loerke und anderer, ist noch unbestritten, aus den klassischen Überlieferungen unserer Literatur wirkt vieles herein. Außerdem sind Einflüsse aus außerdeutschen Literaturen aufgenommen und verarbeitet worden, französisch-spanische etwa bei Krolow, englisch-amerikanische bei Holthusen und anderen. Von einer sprunghaften Mutation der Sprache, wie sie zwischen 1900 und 1920 zu beobachten ist, kann indessen heute nicht die Rede sein, in Deutschland so wenig wie in den anderen Ländern unseres Kulturkreises. Gewiß sind neue Themen und Motive hinzugekommen: die inkommensurablen Erfahrungen der modernen Katastrophenlandschaft, der zweite Krieg, Gefangenschaft, die Unterwelt des politischen Terrors, das soziale und seelische Chaos der Nachkriegszeit, apokalyptische Bewußtseinskrisen, Genrebilder aus dem Leben der heutigen Gesellschaft. Nicht wenige Dichter haben sich um die Erweiterung des lyrischen Vokabulars und um eine Differenzierung und Potenzierung der metaphorischen Möglichkeiten beträchtliche Verdienste erworben. Aber ein ganz neues, auf die Situation von 1920 nicht mehr bezogenes Muster ist nirgends zu finden; auch wo die surrealistische Manier mit Glück gemeistert wird, wie bei dem jungen Paul Celan, da werden poetische Möglichkeiten genutzt, die schon vor dreißig Jahren gestiftet worden sind.

Wenn man versuchen will, über die Bewußtseinslage der jungen und jüngsten Generation etwas Allgemeines zu sagen, so wird man zunächst feststellen dürfen: weltanschauliche Systeme in lyrischer Form gibt es nicht mehr, der Wille zu großen Entwürfen einer Seins- und Lebenslehre im Sinne Rilkes und Georges hat abgedankt. Auch das revolutionäre Pathos vieler Autoren der expressionistischen Ära, dieses im Grunde hochoptimistische, die ganze Menschheit betreffende, auf Veränderung und Erlösung der Wirklichkeit durch den Geist versessene „Weltfreund"-Gefühl wird heute nicht mehr empfunden. Eine allgemeine Ernüchterung bis in die Tiefen der Seele hinein hat stattgefunden. Über das Ganze, möchte man sagen, hat der heutige Dichter keine Meinung mehr, auch ist er nicht mehr geneigt, sich für die Welt schlechthin verantwortlich zu fühlen oder das Amt eines Stellvertreters der Menschheit für sich zu beanspruchen, wie noch der Autor der „Duineser Elegien" es tut. Bescheidung und Beschränkung ist sein Teil. Er hält sich an Einzelnes, an eine besondere sinnliche oder seelische Erfahrung und deren präzise Vergegenwärtigung in der Sprache. Seine Aufmerksamkeit entzündet sich wieder am unbezwinglichen Widerstand der äußeren Welt, und wo er ihr heimliches Bröckeln und Zerfallen, und ihr gespenstisches Verwehen spürt, da genügt es ihm schon, ein kleines Stück Sicherheit in vier Strophen verfestigt und drei Schritte Wirklichkeit als Existenzgrund für sich gewonnen zu haben. Es herrscht eine ausgesprochen nachsintflutliche Atmosphäre. Der kosmische Aufruhr ist verebbt. Die großspurige, mit Sonnen und Gestirnen Ball spielende Demiurgengeste hat im allgemeinen einer Art von kleinmeisterlicher Haltung Platz gemacht. Man nimmt ein bescheidenes Stück Welt an sich, um es in der Sprache abzubilden und dann „dem Unerfahrbaren zurückzugeben" (Piontek). Damit endet für den Augenblick eine Entwicklung, die mit Hofmannsthals „Lebenslied" einsetzte und trotz krisenhafter Schübe und radikaler Umwälzungen erstaunlich viel energische Kontinuität beweist. Auch bei den jüngsten Autoren dieser Anthologie bestätigt es sich, daß die deutsche Lyrik ihren heimatlichen Boden nicht verlassen hat und ihren klassischen Traditionen treu bleiben konnte, ohne doch jemals in epigonaler Stagnation zu verharren.

Die Herausgeber haben sich bemüht, nicht nur die Gesamtheit der Erlebnisse und motivischen Möglichkeiten der letzten fünfzig Jahre in charakteristischen Gedichten zu Wort kommen zu lassen, also eine Art welt- und geistesgeschichtlichen Abriß in lyrischer Gestalt darzubieten, sondern auch jeden einzelnen der ausgewählten Dichter möglichst in der ganzen Mannigfaltigkeit seiner Formen und Tonarten, jedenfalls aber mit seinen Hauptmotiven vorzustellen. Wo ein und derselbe Ton von verschiedenen Dichtern gepflegt wurde, war es Grundsatz, den stärksten von ihnen für die anderen sprechen zu lassen, ihm ein Recht der Stellvertretung einzuräumen. Die für den einzelnen Autor kennzeichnende Äußerung wurde nur dann aufgenommen, wenn es sich nach Meinung der Herausgeber gleichzeitig um ein wirklich geglücktes und allgemeingültiges Gedicht handelte. Denn es sollten nur gute Gedichte gesammelt und diese so gruppiert und in Zusammenhänge eingeordnet werden, daß keine Anhäufung interessanter Einzelheiten, sondern ein organisches Ganzes, also ein wirkliches Buch entstünde.

Die Herausgeber ergreifen gerne die Gelegenheit, folgenden Herren für ihre Ratschläge und Hinweise und ihre fördernde Teilnahme ihren aufrichtigen Dank auszusprechen: Paul Adams, Hans Hennecke, Curt Hohoff, Hartfrid Voss, ferner Joachim Moras, der für die Auswahl der Gedichte von Hans Egon Holthusen verantwortlich zeichnet.

Die Herausgeber

1864 Ricarda Huch † 1947
Frank Wedekind † 1918

1867 Rudolf G. Binding † 1938

1868 Stefan George † 1933

1871 Christian Morgenstern
† 1914

1872 Alfred Mombert † 1942

1873 Otto zur Linde †1938

1874 Hugo von Hofmannsthal
† 1929
Wilhelm von Scholz

1875 Rainer Maria Rilke † 1926

1876 Theodor Däubler † 1934
Else Lasker-Schüler † 1943
Gertrud von le Fort

1877 Rudolf Borchardt † 1945
Hermann Hesse

1878 Hans Carossa
Rudolf Alexander Schröder

1882 Wilhelm Lehmann
Max Mell

1883 Joachim Ringelnatz † 1934
Ernst Stadler † 1914

1884 Ernst Bertram
Oskar Loerke † 1941

1885 Ina Seidel

1886 Gottfried Benn

1887 Georg Heym † 1912
Georg Trakl † 1914

1888 Friedrich Schnack

1889 Alfred Lichtenstein † 1914
Georg von der Vring

1890 Franz Werfel † 1945

1891 Georg Britting
Ivan Goll † 1950
Klabund † 1928

1892 Werner Bergengruen
Anton Schnack
Josef Weinheber † 1945

1893 Richard Billinger

1894 Peter Gan

1895 Fritz Usinger

1896 Friedrich Bischoff
Carl Zuckmayer

1898 Bertolt Brecht
Friedrich Georg Jünger

1899 Erich Kästner
Elisabeth Langgässer
† 1950

1900 Paula Ludwig
Oda Schaefer

1091 Marie Luise Kaschnitz
Martin Kessel

1903 Peter Huchel

1904 Horst Lange

1907 Günter Eich

1908 Albrecht Goes

1912 Rudolf Hagelstange

1913 Hans Egon Holthusen

1915 Karl Krolow

1920 Paul Celan

1922 Walter Höllerer
Peter Toussel

1925 Heinz Piontek

ZEITTAFEL

über das Erscheinen der wichtigsten Gedichtbände
der Autoren dieses Bandes

1890 Stefan George: Hymnen

1891 Ricarda Huch: Gedichte (unter dem Pseudonym Richard Hugo)

1892 Stefan George: Algabal

1894 Alfred Mombert: Tag und Nacht

1895 Stefan George: Die Bücher der Hirten- und Preisgedichte

1896 Alfred Mombert: Der Glühende
Wilhelm von Scholz: Frühlingsfahrt

1897 Stefan George: Das Jahr der Seele
Alfred Mombert: Die Schöpfung

1898 Hermann Hesse: Romantische Lieder
Christian Morgenstern: Auf vielen Wegen

1899 Rudolf Alexander Schröder: Unmut

1900 Stefan George: Der Teppich des Lebens

1901 Alfred Mombert: Der Denker

1902 Hermann Hesse: Gedichte
Else Lasker-Schüler: Styx
Rainer Maria Rilke: Das Buch der Bilder
Wilhelm von Scholz: Der Spiegel
Rudolf Alexander Schröder: An Belinde

1903 Hugo von Hofmannsthal: Ausgewählte Gedichte

1904 Ricarda Huch: Gedichte
Rudolf Alexander Schröder: Sonette an eine Verstorbene

1905 Alfred Mombert: Die Blüte des Chaos
Christian Morgenstern: Galgenlieder
Rilke: Das Stundenbuch

1906 Rudolf Alexander Schröder: Elysium

1907 Stefan George: Der siebente Ring
Hugo von Hofmannsthal: Die gesammelten Gedichte
Ricarda Huch: Neue Gedichte
Rainer Maria Rilke: Neue Gedichte, Erster Teil

1908 Rainer Maria Rilke: Der neuen Gedichte anderer Teil

1909 Alfred Mombert: Der himmlische Zecher

1910 Hans Carossa: Gedichte
Theodor Däubler: Das Nordlicht (Florentiner Ausgabe)
Else Lasker-Schüler: Hebräische Balladen
Christian Morgenstern: Palmström

1911 Georg Heym: Der ewige Tag
Hermann Hesse: Unterwegs
Else Lasker-Schüler: Meine Wunder
Otto zur Linde: Stadt und Landschaft
Oskar Loerke: Wanderschaft
Max Mell: Das bekränzte Jahr
Christian Morgenstern: Ich und Du

1912 Gottfried Benn: Morgue
Georg Heym: Umbra vitae
Ricarda Huch: Liebesgedichte
Franz Werfel: Der Weltfreund

1913 Ernst Bertram: Gedichte
Rudolf G. Binding: Gedichte
Klabund: Morgenrot
Alfred Lichtenstein: Die Dämmerung
Otto zur Linde: Charontischer Mythos
Friedrich Schnack: Herauf, uralter Tag!
Wilhelm von Scholz: Neue Gedichte
Georg Trakl: Gedichte
Franz Werfel: Wir sind

1914 Stefan George: Der Stern des Bundes
Gottfried Benn: Söhne
Christian Morgenstern: Wir fanden einen Pfad
Rudolf Alexander Schröder: Deutsche Oden
Ina Seidel: Gedichte
Ernst Stadler: Aufbruch

1915 Theodor Däubler: Der sternhelle Weg
Hermann Hesse: Musik des Einsamen
Georg Trakl: Sebastian im Traum
Franz Werfel: Einander

1916 Theodor Däubler: Hymne an Italien
Oskar Loerke: Gedichte
Christian Morgenstern: Palma Kunkel

1917 Gottfried Benn: Fleisch
Stefan George: Der Krieg

1918 Theodor Däubler: Hesperien
      Konrad Weiss: Tantum dic verbo

1919 Alfred Lichtenstein: Gedichte und Geschichten
      Max Mell: Gedichte
      Christian Morgenstern: Der Gingganz
      Anton Schnack: Strophen der Gier
                    Die tausend Gelächter
      Georg Trakl: Die Dichtungen (Gesamtausgabe)

1920 Ernst Bertram: Straßburg
      Rudolf Borchardt: Jugendgedichte
      Theodor Däubler: Die Treppe zum Nordlicht
      Hermann Hesse: Gedichte des Malers
      Else Lasker-Schüler: Die gesammelten Gedichte
      Joachim Ringelnatz: Kuttel-Daddeldu
                        Turngedichte
      Anton Schnack: Tier rang gewaltig mit Tier
      Frank Wedekind: Lautenlieder
      Josef Weinheber: Der einsame Mensch
      Menschheitsdämmerung, Symphonie jüngster Dichtung,
        hersg. von Kurt Pinthus

1921 Gottfried Benn: Schutt
      Friedrich Bischoff: Gottwanderer
      Theodor Däubler: Das Nordlicht (Genfer Ausgabe)
      Oskar Loerke: Die heimliche Stadt
      Rudolf Alexander Schröder: Audax omnia perpeti
      Konrad Weiss: Die cumäische Sibylle

1922 Ernst Bertram: Der Rhein
                  Das Gedichtwerk
      Rudolf G. Binding: Stolz und Trauer
      Bertolt Brecht: Trommeln in der Nacht
      Georg Heym: Dichtungen (Gesamtausgabe)
      Friedrich Schnack: Vogel Zeitvorbei

1923 Theodor Däubler: Attische Sonette
      Rainer Maria Rilke: Duineser Elegien
                      Die Sonette an Orpheus
      Wilhelm von Scholz: Die Häuser

1924 Rudolf Borchardt: Vermischte Gedichte
      Gertrud von le Fort: Hymnen an die Kirche
      Friedrich Schnack: Das blaue Geisterhaus
      Otto zur Linde: Lieder des Leids

1925 Ernst Bertram: Das Nornenbuch
Georg von der Vring: Südergast

1926 Oskar Loerke: Der längste Tag
Carl Zuckmayer: Der Baum

1927 Gottfried Benn: Gesammelte Gedichte
Bertolt Brecht: Hauspostille
Joachim Ringelnatz: Reisebriefe eines Artisten
Wilhelm von Scholz: Das Jahr
Ina Seidel: Neue Gedichte

1928 Stefan George: Das neue Reich
Hermann Hesse: Krisis
Erich Kästner: Herz auf Taille
Horst Lange: Nachtgesang

1929 Richard Billinger: Gedichte
Hermann Hesse: Trost der Nacht
Ricarda Huch: Gesammelte Gedichte
Erich Kästner: Lärm im Spiegel
Oskar Loerke: Pansmusik
Max Mell: Gedichte
Friedrich Schnack: Der Sternenbaum
Konrad Weiss: Das Herz des Wortes

1930 Georg Britting: Gedichte
Günter Eich: Gedichte
Oskar Loerke: Atem der Erde
Rudolf Alexander Schröder: Mitte des Lebens
Georg von der Vring: Verse

1931 Richard Billinger: Sichel am Himmel
Fritz Usinger: Das Wort

1932 Bertolt Brecht: Die Songs der Dreigroschenoper
Erich Kästner: Gesang zwischen den Stühlen
Else Lasker-Schüler: Konzert
Gertrud von le Fort: Hymnen an Deutschland
Paula Ludwig: Dem dunklen Gotte
Joachim Ringelnatz: Gedichte dreier Jahre

1933 Joachim Ringelnatz: 103 Gedichte

1934 Bertolt Brecht: Lieder, Gedichte, Chöre
Albrecht Goes: Der Hirte
Friedrich Georg Jünger: Gedichte
Oskar Loerke: Der Silberdistelwald
Rainer Maria Rilke: Späte Gedichte

Ina Seidel: Die tröstliche Begegnung
Josef Weinheber: Adel und Untergang

1935 Richard Billinger: Die Nachtwache
Georg Britting: Der irdische Tag
Peter Gan: Die Windrose
Erich Kästner: Dr. Erich Kästners lyrische Hausapotheke
Elisabeth Langgässer: Die Tierkreisgedichte
Wilhelm Lehmann: Antwort des Schweigens
Rudolf Alexander Schröder: Ballade vom Wandersmann
Josef Weinheber: Wien wörtlich
Franz Werfel: Schlaf und Erwachen

1936 Gottfried Benn: Ausgewählte Gedichte
Werner Bergengruen: Die Rose von Jericho
Friedrich Bischoff: Schlesischer Psalter
Albrecht Goes: Lob des Lebens
Oskar Loerke: Der Wald der Welt
Anton Schnack: Die Flaschenpost
Wilhelm von Scholz: Spiel in den Lüften
Josef Weinheber: Späte Krone

1937 Werner Bergengruen: Der ewige Kaiser
Friedrich Georg Jünger: Der Taurus
Ina Seidel: Gesammelte Gedichte
Josef Weinheber: O Mensch gib acht!

1938 Werner Bergengruen: Die verborgene Frucht
Horst Lange: Gesang hinter den Zäunen
Oskar Loerke: Magische Verse
Friedrich Schnack: Gesammelte Gedichte
Josef Weinheber: Zwischen Göttern und Dämonen

1939 Friedrich Bischoff: Das Füllhorn
Bertolt Brecht: Svendborger Gedichte
Georg Britting: Rabe, Ross und Hahn
Oda Schaefer: Die Windharfe
Wilhelm von Scholz: Die Lebensjahre
Georg von der Vring: Dumpfe Trommel
Josef Weinheber: Kammermusik
Konrad Weiss: Das Sinnreich der Erde

1940 Albrecht Goes: Der Nachbar
Friedrich Georg Jünger: Der Missouri
Martin Kessel: Erwachen und Wiedersehn
Rudolf Alexander Schröder: Die weltlichen Gedichte

1942 Friedrich Bischoff: Der Fluß
      Hermann Hesse: Die Gedichte (Gesamtausgabe)
      Wilhelm Lehmann: Der grüne Gott
      Hermann Usinger: Hermes
      Georg von der Vring: Oktoberrose

1943 Richard Billinger: Holder Morgen
      Bertolt Brecht: Gedichte im Exil
      Rudolf Hagelstange: Es spannt sich der Bogen
      Karl Krolow: Hochgelobtes, gutes Leben
      Else Lasker-Schüler: Mein blaues Klavier
      Wilhelm von Scholz: Gedichte (Gesamtausgabe)

1945 Werner Bergengruen: Dies Irae
      Rudolf Hagelstange: Venezianisches Credo

1946 Hans Carossa: Abendländische Elegie
                    Stern über der Lichtung
      Friedrich Georg Jünger: Der Westwind
      Erich Kästner: Bei Durchsicht meiner Bücher
      Marie Luise Kaschnitz: Totentanz
      Wilhelm Lehmann: Entzückter Staub
      Oda Schaefer: Irdisches Geleit
      Josef Weinheber: Hier ist das Wort

1947 Albrecht Goes: Die Herberge
      Hans Egon Holthusen: Klage um den Bruder
      Marie Luise Kaschnitz: Gedichte
      Oda Schaefer: Kranz des Jahres
      Georg von der Vring: Verse für Minette

1948 Gottfried Benn: Statische Gedichte
      Georg Britting: Begegnung
      Günter Eich: Abgelegene Gehöfte
      Rudolf Hagelstange: Strom der Zeit
      Peter Huchel: Gedichte
      Friedrich Georg Jünger: Die Perlenschnur
      Karl Krolow: Gedichte
                   Heimsuchung
      Anton Schnack: Mittagswein
      Horst Lange: Gedichte aus 20 Jahren
      Konrad Weiss: Gedichte, Erster Teil
      Carl Zuckmayer: Gedichte 1916—1948

1949 Gottfried Benn: Trunkene Flut
      Günter Eich: Untergrundbahn

Peter Gan: Die Holunderflöte
Hans Egon Holthusen: Hier in der Zeit
Karl Krolow: Auf Erden
Oskar Loerke: Die Abschiedshand
Rudolf Alexander Schröder: Die geistlichen Gedichte
Konrad Weiss: Gedichte, Zweiter Teil

1950 Werner Bergengruen: Die heile Welt
Georg Britting: Lob des Weines
Albrecht Goes: Gedichte 1930—1950
Marie Luise Kaschnitz: Zukunftsmusik
Wilhelm Lehmann: Noch nicht genug

1951 Gottfried Benn: Fragmente
Bertolt Brecht: Hundert Gedichte (1918—1950)
Georg Britting: Unter hohen Bäumen
Ivan Goll: Traumkraut
Martin Kessel: Gesammelte Gedichte
Elisabeth Langgässer: Geist in den Sinnen behaust
Joachim Ringelnatz: Und plötzlich steht es neben dir
   (Gesammelte Gedichte)
Friedrich Schnack: Die Lebensjahre

1952 Paul Celan: Mohn und Gedächtnis
Rudolf Hagelstange: Ballade vom verschütteten Leben
Walter Höllerer: Der andere Gast
Hans Egon Holthusen: Labyrinthische Jahre
Marie Luise Kaschnitz: Ewige Stadt
Karl Krolow: Die Zeichen der Welt
Heinz Piontek: Die Furt
Georg von der Vring: Abendfalter (Auswahl)

INHALTSVERZEICHNIS

mit Quellennachweis

24*

Aus: *Gedichte, I. u. II. Teil, Kösel Verlag, München 1948/49*

FRANZ WERFEL   Geb. 10. September 1890 in Prag; gest. 26. August 1945 Beverley
Hill/Kalifornien

Aus: *Einander, Kurt Wolff Verlag, München 1915 — Gesammelte Gedichte 1908—1945, S. Fischer Verlag, Frankfurt a. M. 1953*

CARL ZUCKMAYER   Geb. 27. Dezember 1896 in Nackenheim/Rhein

Aus: *Gedichte 1916—1948, Suhrkamp Verlag, Frankfurt a. M. 1948*

REGISTER

DER GEDICHTANFÄNGE UND -ÜBERSCHRIFTEN

381

E
L

INHALTSVERZEICHNIS